文春文庫

親子丼の丸かじり

東海林さだお

文藝春秋

親子丼の丸かじり＊目次

親子丼の丸かじり

親子の味の親子丼

三人でお店に入って、それぞれがカツ丼と天丼と親子丼を注文するとき、カツ丼の人は、

「カツ丼」

と言い、天丼の人は、

「天丼」

と言う。ところが親子丼の人は、

「親子」

と言って「親子丼」とは言わない。

親子丼に限って「丼」が抜けるわけです。

「いや、わたしはちゃんと、『親子丼』と言いますよ」

という人は、都合がわるいのであっちへ行っていて。都合がよくなったらまたこっちへ呼びます。

なぜ丼をつけないのかというと、「親子」で十分通じるからなんですね。「カツ丼」の丼を取ると、「カツ」となって「カツ」と間違われるし、「天丼」のほうは「テン」となって、なんのことやらわからず、店員の目がテンになってしまう。

親子丼を注文する人の中には、

「ぼく、親子」

という言い方をする人もいる。

日本人同士の会話ならこれでいいが、ここに外国人が混じると、

「?……」

ということになる。

外国旅行の機内食のとき、「ビーフ・オア・チキン?」と訊かれて、「アイ・アム・ビーフ」と答え、「お前は牛か」と驚かれるのと同じような現象となる。

つまりですね、日本人は食堂へ行って、やたらに「親子」「親子」と言うが、親子という言葉と食べ物とは本来なじまない関係にあるのだ。

「きょうは昼に親子を食ってきたよ」

など、実はとんでもないことをしゃべっているのだ。

親子丼好きの
青年てェものは
どうも
出世しそうも
ありませんですね
（出世しなくても
いいけどネ）

かって、親子丼は、カツ丼、天丼と共に日本の三大丼と言われる大きな存在であった。

「エ？　三大丼って、カツ丼、天丼、うな丼のことじゃないの」

という人は、都合がわるいのであっちへ行っていて。

その三大丼の一つであった親子丼の凋落がここのところ激しい。

なぜか。

親子丼は、実は親子という名前をつけたために、親子関係という関係に縛られて身動きがとれなくなっているのだ。それが原因となって時代に取り残されようとしているのだ。

古めかしい親子という関係に縛られているために、夫婦別姓とか、核家族とか、ダブル・インカム・ノーキッズとか、セックスレスカップルとかの新しい時代の波に取り残されようとしているのだ。

その検証をする前に、親子丼の実態を解明しておくことにしよう。

親子丼には本尊がいない。これが親子丼の最大の悩みだ。本尊のいない寺は寂しい。本尊のいない寺は次第に寂れていく。

カツ丼にも天丼にも本尊がいる。

カツ丼などは丼のどまん中に、本尊が堂々と横たわっている。

カツ丼を食べ始めるとき、誰もが（これからのひとときを、このカツにすがって生きていこう）と思う。（このカツだけが頼りだ）と思う。この祈願を、カツはどっしりと、頼もしく受け入れてくれる。

カツにはそれだけの力があるのだ。

天丼も同様である。

エビ一本ではやや頼もしさに欠けるので、二本力を合わせて応えてくれる。本尊がダブルで対応してくれるのだ。

親子丼には本尊がいない。いることはいるのだが、あちこちに分断されている。本尊

にすがって生きていこうと思い、頼ろうとすると、

「本尊はオレじゃないよ」

と言われてしまう。

みんなで責任を回避するシステムになっているのだ。一体どこのどれを拝めばいいのか参拝者は途方に暮れる。

その上、親子丼には正門がない。

天丼なら、エビのシッポが右に向いた手前が正門である。カツ丼ならば、カツの身がほっそりしたほうが左にあるときの手前が正門である。

「いや、ほっそりしたほうが右にくるほうが正門じゃないの」

という人は、都合がわるいのであっちへ行っていて。

親子丼は、親子関係にどのように縛られているのか。この検証に入ろう。

親子丼は「親子」と命名したために、親子以外を介入させることができない。鶏肉と卵以外のものを入れると親子ではなくなってしまう。

大阪には「他人丼」というのがあって、これは牛肉と卵だ。関東では豚肉と卵だったり、牛肉と卵を開化丼といったりするらしい。そういうややこしい人間関係を、丼の世界に持ちこんで一体どうする気だ。

ブロイラー化で鶏肉の魅力がなくなってきたいま、鶏肉だけに頼って生きていくことはできない。

鶏肉プラス牛肉プラス豚肉という新しい家族関係、新しい親子関係、新しい里親制度関係を考えるべき時期にきているのではないか。

時代は〝ニュー親子丼〟を待望しているのだ。

というわけでですね、作ってみました、牛と豚と鶏入りのニュー親子丼を。

そうしたらですね、これがなんともウマくなかった。

なんかこう、しみじみしないんですね。丼の中がなんか騒然としている。

やっぱり親子丼は親子水いらず、しみじみと食べるもののようですね。
じっとりと濡れた卵がうんと甘辛くて、その甘辛のツユがゴハンの深部三分の一あたりまでしみこんでそこで止まっていて、ときどきしみじみして地味な味の鶏肉が口の中にころがりこんできて……というのが〝親子〟の味のようですね。

郷愁のアイスモナカ

朝から晩までジメジメ、ムシムシ、梅雨の一日。こういうときは、清涼のひとときが欲しくなる。何かを食べてさっぱりしたい。

〝スイカのひととき〟というのもわるくない。

〝トコロ天のひととき〟というのもわるくない。

だが、スイカもトコロ天も、一つだけ問題がある。それは、ソファに引っくり返って食べるのに適してない、という点である。

ぼくの清涼のひとときは、どうしても仕事がひと区切りついたときということになる。仕事がひと区切りついたときは、どうしても、ドテンとソファに引っくり返りたい。引っくり返ったままで清涼のひとときを過ごしたい。

引っくり返って、ということは、あお向けになってということである。

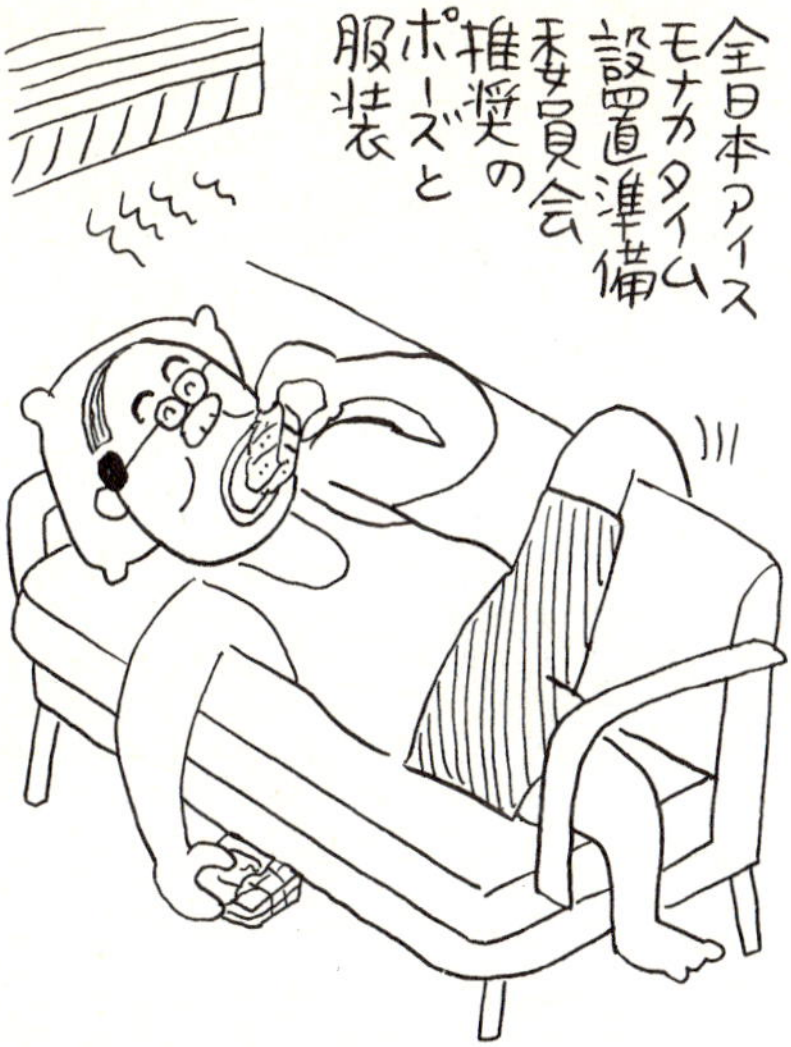
全日本アイスモナカタイム設置準備委員会推奨のポーズと服装

あお向けになってスイカを食べたらどういうことになるか。

あお向けになってトコロ天を食べたらどういうことになるか。

あお向けになったままで食べられる清涼の物件はあるのか。

あるんですね。

アイスモナカです。

アイスキャンデーでもいいのだが、これとて若干問題がある。食べているうちに若干溶けてきて若干顔の上にしたたり落ちるという問題がある。

アイスモナカは、そういう問題を一切顧慮せずに、あお向けになったまま安心して食べられる。

アイスモナカはそういう心配がないせいか、食べているうちになぜか無心になる。

無心のアグアグ。

放心のアグアグ。

無心、放心の休憩のひととき。

イギリスでは一日一回ティータイムという休憩があるそうだが、梅雨時のニッポンでも、一日一回のアイスモナカタイムを推奨したい。

アイスモナカタイムを過ごすときは、服装にも注意を払ってほしい。上はランニングもしくは白のTシャツ、下はショートパンツを、アイスモナカタイムのユニホームとしたい。

アイスモナカに対処する心は童心でなければならない。

ランニングと半ズボンは、大人を童心にかえらせてくれる。このスタイルで、冷凍庫から秘蔵のアイスモナカを取り出してきて、ドテンとソファに引っくり返ろう。

秘蔵といったって、アイスモナカは、アイスクリームのように、「北海道の特別のミルクからつくりました」というような高級品はない。

コンビニで買ってきた「森永チョコモナカ・ジャンボ」でいい。これを手に持って、ドテンとソファに引っくり返ろう。この場合はあくまで〝ドテン〟でなければならない。

横ずわりにすわってから静かに横になったのでは童心がおろそかになる。

あお向けのポーズも決まっている。

全日本アイスモナカタイム設置準備委員会によって決められているのだ。

そのポーズになってから、アイスモナカの包装パックの横の部分のギザギザの山の、山スソのところを両手で持ってピリピリと裂く。

いよいよモナカタイムが始まったのだ。

山スソをピリピリと裂くオープニングがすでに心楽しい。これからの楽しいひとときの予感に胸が喜びにふるえる。

丸かじりという
方法も
ないではない
バリ
バリ

これをアイスモナカ愛好家たちは〝山ピリの喜び〟と名づけている。

アイスモナカは手に持ったとき、他のアイスもの、たとえばアイスキャンデーなどと比べて妙に軽く感じるものだ。この軽さもまた、あお向けになって食べるときの長所となっている。

森永チョコモナカ・ジャンボは、タテ三段、ヨコ六列という構成になっている。

このうちのヨコ一列をパックから露出させ、左手の親指でミゾをタテに押さえ、右親指をそれにピッタリ並列させてグッと反り返らせると、物の見事にパキッときれいに割れる。

どうせアイスモナカなんだから、多少ギザギザに割れてもかまわないんだよ、と、こっちは思っているのに、いえ、そうはいきません、と、画然と、キッパリと、鮮やかな断層を見せて右と左に分かれる。

このパキのときの整然が嬉しい。

これを、アイスモナカ愛好家たちは〝パキの喜び〟と名づけてその喜びを語りあったりしている。

口の中に入ったアイスモナカは、最初はちっとも冷たくなく、アイスがこんなことでいいのか、と強く噛みしめたとたん、グシャリと口の中が冷たくなる。

この一瞬の間が、アイスモナカの持ち味だ。

モナカの皮は最後まで、中身のアイスと一緒の行動をとり、アイスと一緒に口の中に消えていく。

いまから二十年ぐらい前までは、映画とアイスモナカは密接な関係にあった。映画を見に行くと、上映前や休憩時間には必ずアイスモナカ売りがモッソリと現れるのだった。

駅弁スタイルの箱の中に、ビッシリではなく、いつも数少ないアイスモナカが入っていて、売り子は黙って座席の間をノッソリ歩いていく。

ふだんはアイスモナカなどほとんど食べないし、映画館のモナカは値段も高いので、あんなもの買わないぞ、と思っているのに、売り子がノッソリ横に立つと、つい「ください」と買ってしまうのだった。

売り子は決まって暗めの人で、他のバイトは向いてません、映画館のモナカ売りしかできません、内気です、カオもまずいです、というような人が多かったような気がする。

冷麺の位置

「今夜は久しぶりに焼き肉いってみっか」

と思って焼き肉屋へ行く。

このとき思っている焼き肉とは、ただ単に、(あの、ケムがモーモーとあがってジュージューと焼ける甘からの肉)なのだが、現場に行くと、そういう単純で甘い考えは許されない。

もっと具体的なものを要求される。

焼き肉の匂いの立ちこめるテーブルにすわってメニューを眺める。

あ、その前におしぼりが出るのでそれで手を拭く。

ここでちょっと話が逸れてしまって恐縮なのですが、焼き肉屋におけるおしぼりの使い方って、他の店の使い方とちょっとちがうと思いませんか。蕎麦屋や寿司屋や中華料理店における使い方とひと味ちがう。

念入り……。

そうなのです。とにかく念入り。そして周到。他の店では、手の先やカオなどを形式的にさっと拭くだけなのに、焼き肉屋ではヒジのあたりまで丁寧にぬぐってしまう。

これからの食事に対する気構えというか、意気込みというか、そういうものがおしぼりに現れてしまうわけですね。

で、メニュー。

エート、なになに？　ロースにカルビ？　焼き肉はなんたってカルビだよな、よし、カルビいこう、と決めて店の人に「カルビ！」と言おうとして気がつく。カルビには、ふつうの「カルビ」と「上カルビ」と「骨つきカルビ」がある。

ウーム、と迷っていると、さらに「特上カルビ」というものもある。

これだけでも思いは千々に乱れ、頭がボーッとかすんできているのに、さらに「特上骨つきカルビ」というものがそこに加わってくる。

ただ単純に「焼き肉いってみっか」と思っただけなのに、冒頭から頭の中はウニ状態になる。ウニ状態のところへ、財布の問題もからんでくる。女づれだとミエの問題もからんでくる。つれの女が、

「アラ、タン塩もわるくないわね」

もう二十回以上
噛んでいるん
だけど
麺には
全治三日間ぐらいの傷しか
負わせてないのよネ

などと言うと、ウニに財布にミエにタン塩がからんでくる。

「タンにはふつうのタンと上タンがあるわ」

などと女が言うと、

「冗タン言うな」

と怒り出す人もいる。

ようやく、「上カルビ」と「タン塩」ということに決まってホッとしていると、必ず「ナムルはどうか」という問題が起こってくる。「キムチはどうするのか」という提案もなされる。

「では、ナムルとキムチ」ということになると、「キムチは『白菜キムチ』と『カクテキ』と『オイキムチ』があるけど、どれにしますか」と追いうちをかけられ、オイオイと泣き出す人もいる。

こうして、ヤレ、上カルビだ、特上ロースだ、上ミノだ、上タンだ、センマイだと、考えぬいた挙げ句の品々を網の上にのせて焼くわけだが、焼いてしまえばみんな黒っぽくなって、どれが上ロースだか特上カルビだか並タンだかミノだかわからなくなってしまい、網の上の肉片を箸でつまみあげて、「これ何？」などと訊く人も出てくることになる。

どれが何やら一切かまわず、ただ〝肉片〟として片っぱしから頬ばっている人もいる。

冷麺
はじめました
焼肉苑
という貼り紙
なしで、冷麺は
一年中やってます

とにもかくにもひととおり焼き肉を食べ、ビールを飲み、やれやれ、なんて言ってホッとしていると、再び〝第二次難関ウニのひととき〟がやってくる。

シメとして何を食べるか。

クッパかビビンバか、コムタンか、ユッケビビンバか、コムタンクッパか、ユッケジャンクッパか、テグタンクッパか……。

再びウニ状態になり、呆然としているところへ、目にとびこんでくるのが冷麺という文字である。

なんというわかりやすい文字づらであることか。

しかも焼き肉でかなりおなか一杯になっているところへの、スッキリ、アッサリの冷たい麺は、万人の納得を得られることになる。

そこで冷麺。

冷麺を、おなか一杯じゃない状態で食べたことってありますか。ないでしょう。

冷麺はいつだって満腹状態で食べる。おなか苦しい。だけど冷たそうでサッパリ感があるので何とか食べたい。

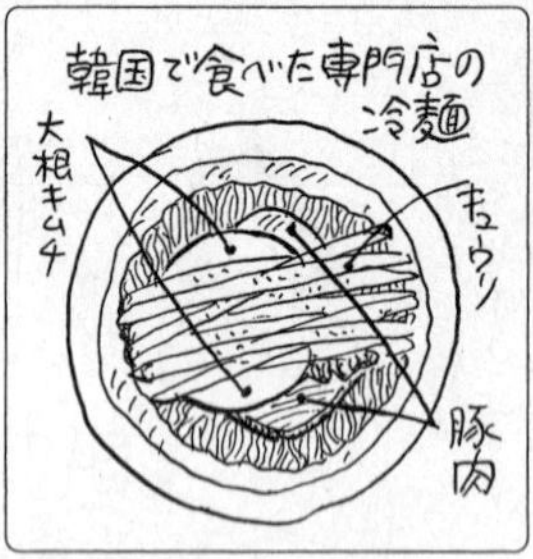

ツユと麺だけでも食べたい。上にのってる具がジャマだ。特に厚切りの豚肉がジャマだ。豚肉が憎い。ゆで卵もジャマだ。あっち行け。

チュル、チュル。うん、このようく冷えて、硬くてゴムのような弾力の麺はウマい、と言ってよいのか、日本人にはやっぱり硬すぎる、と言うべきなのか。とにかくおなかが苦しくてよくわからん。

ジルジル。うん、このスープというかツユというか、この冷ーたい液体は、牛すね肉とか骨とか鶏ガラなどで丁寧につくってあるというが、どうもそういう丁寧な味を感じたことは一度もないな。ジルジル。

それもやはり、いつもおなか一杯で食べるせいかしら。チュルチュル……。

一度、おなかをすかせた状態で冷麵に対処してみたい。ところが日本ではこれがなかなかむずかしい。冷麵は、焼き肉屋か韓国料理の店に行かないと食べられない。焼き肉屋へ入っていって、焼き肉関係一切食べないで、冷麵だけ食べて帰ってくる勇気ありますか。おでん屋に入って、おでんを食べずに、いきなり「茶めし！」と言って茶めしだけ食べて帰る勇気ありますか。

「焼き肉屋の冷麵だけ」は「おでん屋の茶めしだけ」に相当する。

冷麵専門店というのはないのだろうか。もしあったらぼくは絶対行きますね。絶対行くけど、多分、一回ぐらいしか行かないような気がする。

駅の中で飲む

とりあえず、自分がよく利用する駅の構内を頭に浮かべてください。

ぼくの場合だと、JRの西荻窪駅ということになって、まず、自動式の改札の列があって、そこを通ると階段が二つあってホームが二つある。

二つのホームの上には二つのキヨスクがある。

駅によっては、これに立ち食いそばの店があって、そこで何人かの人が立ってそばを食べていたり、パンと牛乳のスタンドがあってそこで牛乳をゴクゴク飲んでいる人がいたりする。

こういったところが、ま、ごく一般的な駅の構内風景ということになる。

駅の構内で飲んだり食べたりしてもいいものには、そこにおのずと限界がある。アンパンやサンドイッチは許される。牛乳や缶コーヒーも許される。ネギも許される。

むろん、長いままを駅の構内でかじったりするわけではなく、立ち食いそばの薬味として許される。

だが、モツ煮込みはどうか。サンマの塩焼きは駅の構内で食べてもいいのかどうか。納豆はどうか。赤ダシナメコ汁なんてのはどうなのか。

実をいうと、いまここに挙げたものは全部ＯＫなんですね。駅の構内で納豆を食べてもいっこうにかまわない。

現に大勢の人が、駅の構内でサバの味噌煮やシラスおろしやキンピラゴボウなんかを食べているのだ。

大抵の人は行きつけの店を持っている。行きつけの居酒屋は、会社と駅の間にあることが多い。大抵の人はそこで、モツ煮込みやシラスおろしなんかでイッパイやってから駅に行き、定期を出して構内に入る。

会社から駅に直行し、定期を出して中に入って行く人を見たら、

「ああ、あの人は途中でイッパイやらずに家に直行する人なのだな」

と思うはずだ。

仮にこの人をＡさんとしよう。年齢は仮に四十八歳としよう。

Ａさんは品川駅の改札を入っていくと、構内にある「お食事処・ザ食堂」のノレンを押し、手押し自動式のドアを押して中へ入って行った。

駅の中ですっかり安心してくつろいでいるオトーサンたち

駅の構内にある店だから、せいぜい立ち食いそばに毛の生えた程度の店だと思うでしょう。

ところがこの店のテーブル数十四。四人掛けだから定員五十六名。

押しも押されもせぬ立派な居酒屋だ。

「『お食事処・ザ食堂』という名前からして、どうせ定食中心のお店だろう」と思うでしょう。

ところが、モツ煮込み、おでん、イカの一夜干し、キンピラを中心としたメニューの、押しも押されもせぬ立派な居酒屋なのだ。

この「ザ・食堂」の隣は「薩

摩屋敷」という民芸造りの更に立派な居酒屋だ。この一角には、更に「らーめん亭」「コーヒーショップＢａｌｉ」「お酒処・平成横丁」「丼物・ＫＥＹＡＫＩ」「立ち食いそば・常盤軒」などが立ち並んでいて、いずれも立派な店構えばかりで、新宿あたりの飲み屋街にいるような錯覚を覚える。

が、ふり返れば、酒と無縁の通勤客が、明らかに〝駅構内の人々〟の表情で忙しく行き交っているのだ。

どうもなんだか、駅の構内にこんな飲み屋街をつくっちゃっていいものなのか。

店内に入って行ったＡさんは、店の一番右奥のテーブルに腰をかけた。すでに先客一名がいて、この店では相席は当然だ。

夕方六時。店内はほぼ満席。

Ａさんは「生セット(大)・枝豆・チーズたら一〇〇〇円」を頼んだ。

この店のモットーはチョーハヤだ。漢字で書くと超速。ターミナル駅という性格もあって、客が「生セット」と言い、店員がそのテーブルから「生セット」と奥に言ったとたん、カウンターに「生セッ

ト」が出ている。

枝豆を一粒口に入れてから生をグーッと一口やると、Aさんはかねて用意の夕刊を拡げる。

見渡すと、夕刊を拡げている人が多い。客数五十名中、実に十六名の人が新聞を拡げてイッパイやっている。

こんなに多くの人が、新聞を拡げている居酒屋をぼくは見たことがない。

客のほぼ全員がネクタイをしめたサラリーマン風で、若い人が少ない。

連れといっしょ、という人も少ない。

ほぼ全員が一人で来て一人で新聞を読みながら飲んでいる。

Aさんと相席の客は五十代前半で、やはり夕刊を拡げている。

彼の前には、「肉豆腐」「サバ味噌煮」「お新香盛り合わせ」などが豪華に並んでいて、飲みものはビールでなく二合徳利だ。

新聞をバサバサやりながらサバをつついてはお酒を飲み、ときどきヨージでシーハしながらすっかりくつろいで飲んでいる。まるで我が家のダイニングキッチンで飲んでいるようだ。

このおとうさんの家はきっと遠いにちがいない。茅ヶ崎とか小田原あたりまで帰るにちがいない。家に帰ったら寝るだけにしたいにちがいない。そのために、家に帰ってからすることを、全部ここでやっておきたいのだ。夕刊読破もここで済ませておきたいのだ。

気がつくと、この二合徳利の客が半分ぐらいいる。梅雨の晴れ間のこの日など、絶対にナマのほうがウマいにちがいないのだが、「二合　四七〇円」の魅力が二合徳利に向かわせるのだろう。

Aさんは、「生セット」だけでそそくさと店を出た。

あとはその足で電車に乗るだけだ。

考えてみると、〝電車がすぐそこに来ている飲み屋〟というのはここしかあるまい。

こんなに安心してくつろげる飲み屋はめったにあるものではない。

日本トマト史

ぼくらが子供のころのトマトは、単純で解りやすいやつだった。なにしろ食べ方が一つしかなかった。

塩をかけて食べる、食べ方といったらそれしかなかった。

当時といえども、こんな単純な食べ方しかない野菜は他になかった。

トマトの同僚キュウリも、食べ方は少ないほうだが、トマトよりはましだった。塩をかけて食べるほかに味噌をつけて食べる。キュウリもみにする。糠漬けにして食べる。

トマトは味噌をつけて食べないし、トマトもみにもしないし、糠漬けにもならない。

もう一人の同僚ナスは、生では食べないが、煮たり揚げたり漬けたり、食べ方は多彩を極める。なのにトマトは塩をかけて食べるほかは一切なし。

だけど当時のトマトは、単純でわかりやすくていいやつだった。

ぼくらの友だちだった。

そのころのトマトは、全域がまっ赤ということはなかった。必ず青い部分があった。

図画の時間にトマトを描くとき、肩のあたりを必ず青く描いた。それがトマトというものだった。

いまのトマトは全域まっ赤で、一年中八百屋に並んでいるが、昔のトマトは夏のシンボルだった。夏を凝縮して赤く閉じこめたものがトマトだった。

トマトといえば夏。夏休み、入道雲、草いきれ、セミしぐれ、ランニングシャツ、捕虫網、カナカナ……そういう思い出と共にトマトはあった。

そのころぼくは栃木県の草深い田舎の小学生で、川で泳いだ帰り道、夏の盛りのトマト畑にこっそり入ってトマトをもいで食べた。夏の畑のトマトは熱く、青くさく、少しガリガリしてあふれんばかりのシルが唇からしたたり落ちた。

トマトはナマ食い。

と、ずーっと思って育っていって、あれは中学生ぐらいになったころだったろうか。

「イタリアではトンマトを煮て食うんだと」

という話を聞いた。

青天の霹靂《へきれき》。驚天動地。前代未聞。言語道断。非憤慷慨。エ？　トマトを煮て食べる？　エ？　トマトを煮て食べる？　エ？　トマトを煮て食べる、と、百回ぐらいくり返したいぐらいのショックだった。

トマトはナマ、と信じて生きてきた少年にとって、それは、スイカを煮る、下駄を煮る、犬を煮る、というぐらいのショックだった。

もうトマトはぼくらの友だちじゃない、と思った。

ぼくらとはナマでしかつきあわないくせに、裏でこっそり煮られていたなんて、なんという裏表のあるやつだろう、と思った。

つくづくと丸くて赤いトマトを眺めては、

「オマエ、ほんとーに煮られてもいいのか。おまえはそういうやつだったのか」

と何べんも何べんも問いかけたい心境だった。

それ以後、トマトのよくない噂を次々に聞くようになった。

「トマトをドロドロにつぶしたケチャップとかいうものがあるんだと」

「スパゲティとかいうものといっしょに煮て食うんだと」

「トマトジュースとかいうものもあるんだと」

そういうことがあったあと、ぼくらはトマトに対して少しよそよそしくなった。トマトに対する情の濃さも少し薄らいだ。

日本のトマト史をたどると、江戸時代までさかのぼるようだ。貝原益軒が『大和本草』という本に「唐柿」として載せているという。

実際に野菜として輸入されたのは明治初年で、このときは「アカナス」と呼ばれたが、日本人の口には合わなかったらしく、まったく売れなかったという。

そして、その後どういう経過を経たのかはよくわからないが、わが少年時代の畑にトマトは赤々と実

っていた。

ナマ食い、塩かけ食いの時代が長く続いたあと、日本のトマトは激動の時代を迎える。

〽お酒を飲んだ翌朝は……

というコマーシャルと共に、トマトジュースが脚光をあび、トマトが見直され始めたのは、あれは何年ぐらい前のことだろう。

スパゲティ屋があちこちに出現して大繁盛した時代があり、そのころからトマトを煮ても誰も驚かなくなった。つい数年前には、「フライド・グリーン・トマト」という題名の映画が上映されたから、トマトのフライというものもあるのだろう。

いまやトマトをどう料理しても誰も驚かなくなった。

青いトマトを糠漬けにしたらおいしいかもしれない。トマトに味噌をつけた、モロキュウならぬモロトマもおいしいかもしれない。

焼きリンゴならぬ焼きトマトもいけるかもしれない。

トマトの味噌汁はどうか。

トマトおろし、トマトシャブシャブ、トマトゴハンもきっとおいしいぞ。

トマトにコロモをつけて揚げるトマ天はどうか。イチゴ大福ならぬトマト大福はどうか。

トマトヨウカンという手もある。

トマトラーメンはどうか。

そんなのまずそう、という人は、すでにトマトラーメンがあちこちの店で出されていると聞いて驚くだろう。

よく女の人なんかで、

「あたしってそういうこと一切ダメなヒトなの」

などと自分を規定している人がいるが、そういう人は是非トマトを見習いなさい。

板ワサ大疑惑

居酒屋のメニューの一つに板ワサというものがある。

「ああ、アレね、カマボコを切ってワサビ醤油につけて食べるアレね」

と、誰もが知っているアレです。

板ワサは、なにしろ切るだけだから注文すればすぐ出てくるし、値段も高くないから気安く注文できる。気安いやつだからといって、ついみんな見逃してしまっているが、この板ワサ、なかなかのしたたか者なのである。

その周辺は数々の疑惑に包まれており、板ワサ疑惑として追及していかなければいけない一品でもあるのだ。

まずそのネーミングが怪しい。

本体はまぎれもないカマボコなのに、その名前にカマボコのカマも出てこなければカ

マボコのボコさえ出てこない。その実体はカマボコとワサビなのだから、正直にカマワサと言うべきではないのか。なぜ正直に言うのをためらうのだろう。

辞書には、板ワサの板は、板カマボコの板である、と出ているが、なんかこう言い訳がましいものを感じる。辞書さえ板ワサの不正に加担しているように思える。

カマボコの大部分が板を敷いているのは国民的常識なのだ。板はあくまでカマボコの敷物なのだ。

主役はあくまでカマボコなのに、その主役をさしおいて敷物の板を名前に取りあげるというのはどう考えても怪しい。

疑惑はまだある。

板ワサのワサだ。

板ワサのワサはむろんワサビのワサだが、ワサビはあくまでカマボコの添えもののはずだ。

マグロの刺し身にもイカの刺し身にもワサビがつくが、わざわざマグワサって言うか？　イカワサって言うか？

カツオのたたきには生姜がつきものだが、カツショウとは言わない。

コンニャクのおでんにはカラシがつきものだが、コンカラとは言わない。

納豆にもカラシだが、ナッカラって言うか？

こんなところに大落語家を引きあいに出して申しわけないが、たとえば柳家小さん師匠。小さん師匠は座ぶとんを敷いてセンスを小道具にして落語を演じる。

だからといって小さん師匠を「座ぶセン」て言うか？　板ワサという言い方は、小さん師匠を座ぶセンと呼ぶのと同じことなのだ。

どうもカマボコには、板とワサビを主役に押し立てなければならない深い事情があるような気がしてならない。

怪しいやつではあるが、板ワサはビールにも合うし日本酒にも合う。しかし居酒屋のメニューの番付からいうとランクはかなり下のほうだ。

板ワサで一杯やっているサラリーマンは、なんかこう貧相な感じがする。サラリーマンのランクとしても、〝板ワサどまり〟という感じを受ける。

ところが、これが老舗の蕎麦屋のメニューに登場すると急に印象が変わる。俄然、品格を伴った一品ということになる。

蕎麦屋で蕎麦をたぐる前に、板ワサで一本つけてもらって一杯やっている老紳士なんてことになると、その周辺には気品さえただよってくる。

功成り名遂げて「板ワサ上がり」となった人の風格さえ感じられる。

蕎麦屋の板ワサは、一種の伝統美の世界なのだ。

ところがこの板ワサが家庭の晩酌に出てくると、また急にガラリと印象が変わる。

家庭の晩酌に出てくる板ワサは、手抜き料理の最たるものだ。とにかく切っただけ。ワサビはチューブを押しただけ。当然おとうさんの機嫌はナナメになり、眉間のシワはタテになる。

家庭の晩酌には決して出してはならないものが板

ワサなのだ。

ところが、この板ワサが、日本旅館の朝の食卓に登場すると、その印象はまたまた一変する。

日本旅館の朝の食卓。

食卓について、お茶などすすりながら全容を見ていく。

アジの開き、焼き海苔、だし巻き玉子、生卵と見ていって、そして板ワサ。うん、うん、板ワサいてくれたか、とつい嬉しくなる。そしてまた、この板ワサが、旅館の朝食にかぎってゴハンによく合うんですね。

切られて立っているカマボコの一片をまず横倒しに倒してから、それを箸でつまんで醤油の小皿にひたす。

なぜ最初に横倒しにしておくかというと、立ったままのカマボコを箸でつまんで小皿の上で倒すと、醤油がはねてあたりに飛び散るからです。

カマボコをようく醤油にひたす。

裏も表もようくひたす。カマボコに裏と表があるのかという問いを無視してようくひたす。

その上にワサビをのせる。

ぼくは板ワサの場合は、常々ワサビよりワサビ漬けのほうが合うと思っているのだが、ま、この際ワサビで我慢することにしよう。

ワサビをたっぷりカマボコの上にのせてパクリと口に入れる。

しばらくは何事もなく、平和なひとときが流れる。

そして突如、きました、きました、ツーンが。

ツーンが鼻腔を通り抜けていく様が逐一感じられたそのあと、届きました届きました脳天に。

きらめく閃光、横なぐりのびんた。

しばし思考の空白。

知らぬまに右手の人さし指と親指は眉間の肉をギュッとはさみ、知らぬまに目はかたく閉じられ、知らぬまに目からは涙が流れ、知らぬまに全身はロダンの考える人となっている。

この刺激、この清涼、この溌剌が、二日酔い気味の旅館の朝食のゴハンにまさにピタリとくるのですね。

下町の夏は……

日本の国旗は日の丸である。

日本の国花は桜の花である。

日本の首相は橋本である。橋本首相には副首相というのがいて、首相の身に何かあったとき、その任務を副首相が代行する。

では国花のほう、すなわち桜の身の上に何かあったとき、代行する花は決めてあるのか。副国花、ないしは国花補佐、というものを決めておかなくていいのか。

という重大なことを、日本国民は今日まで忘れて暮らしていたのだ。

そこでぼくは、副国花に朝顔を推薦したい。実をいうと、日本の国花は桜だという人もいるが、菊だという人もいる。桜も菊も、武士道に通じるものがあって何だかいかめしい。

そういうかめしい世界に、突如、楚々とした朝顔の花。とてもいい補佐の仕方だとは思いませんか。

なぜぼくがこんなことを急に言い出したかというと、実はつい先だって、朝顔市というものに出かけて行って、その降盛ぶりにびっくりしたからなのです。

こんなにも、朝顔が人々に愛されているとは知らなかった。

朝顔市は誰もが知っていし、

「ああ、なんか、下町の片隅で朝顔の鉢をちょこちょこっと並べて売っているアレだろ」

という認識の仕方をしているはずだ。

朝顔市は、〃町の片隅〃でもなく、〃ちょこちょこ〃でもなかった。

片側三車線の言問《こととい》通りを通行止めにして歩行者天国となし、その両側、見渡すかぎり、立ち並ぶ露店の数およそ百二十。そのうち朝顔だけを売る露店六十有余。そこに並ぶ朝顔の鉢十五万鉢。三日間行われる市の人出五十数万。

五十数万の人が十五万鉢の朝顔を買って行く、まさに国民的行事だったのだ。

地下鉄入谷駅の改札のところには、「朝顔市の期間中は、午前四時五十分に開きます」という貼り紙がある。

朝の四時に朝顔を買いにくる人がいるのだ。

商店街のスピーカーからは、

〽*朝顔市の帰りしな、素敵なあなたに見染《（ママ）》められ、今じゃ嬉しい新家庭、
という朝顔ワルツが流れてくる。

浴衣姿の人が、買った朝顔を手にさげて、腰にウチワをさして歩いていく。

ここでは朝顔を手にさげていないと肩身が狭い。一鉢の値段はだいたい二千円で、一人で三鉢もさげている人もいる。

朝顔隆盛、朝顔大人気、朝顔大好評。

朝顔は、昔から、日本人の生活に密着した花であったことは確かだ。

小学生の夏休みの宿題といえば朝顔日記。

種を土に埋め、毎日眺め、発芽、双葉、本葉、ツルと、育ってゆく様子を絵と文で日記につけたものだった。

朝顔につるべとられてもらひ水

という国民的俳句もある。

と、このあたりで、たしかこのエッセイは食べ物のことを書くはずじゃなかったっけ、と、思い始めた人もおられるはずだ。だいじょぶです。手は打ってあります。

この朝顔市が行われている恐れ入谷の鬼子母神から歩いて十五分ほどのところに、かの有名なお好み焼き屋、「染太郎」があるのだ。

その昔、高見順、江戸川乱歩、水上勉などの文人墨客などに愛された歴史と伝統に輝くお好み焼き屋で、いまだに相席当然の、大繁盛の店なのだ。

お好み焼き屋の相席とはいかなるものか。一つの鉄板に複数の客がとりついて焼くことになるわけだが、陣地争いのようなことは起こらないのか。

染太郎は、まさに〝昔の東京の下町の雰囲気をできるだけ残した店〟だった。

どういうふうに残したかというと、この店にはクーラーがない。

クーラーがなくて、天井が低くて、畳の大広間で、その大広間に九台の火のついた鉄板の座卓があって、その座卓に大勢の客がとりついている。

すなわち暑い。ものすごく暑い。暑くないわけがない。六台ほどの扇風機がはげしく活躍して、はげしく首を振っている。

客ははげしく汗をぬぐいつつ、はげしくウチワを使い、はげしくコテをあやつってお好み焼きを焼いている。

覚悟を決め、肝をすえ、案内された鉄板の前にすわると、諦めの心境からか、思ったほど暑くないのが不思議だ。

案内された席はやはり相席で、お局様風ＯＬ二名の先客がいて、鉄板の上ではすでにお好み焼きが焼かれつつあった。

この店の看板、お染焼というのをたのむ。千切りキャベツ、ヤキソバ、イカ、エビ、肉、玉子のミックスで値段が何と四八〇円だ。お局様は、わりに素直に陣地を半分あけてくれたので、そこへミックスを流しこむ。

それでも、「先住の人の陣地を分けてもらった」という気持ちは抜きがたく、なんとなく「間借りをしている」という気分はまぬがれない。

生ビール（中）五〇〇円。

生ビールがすぐなまぬるくなるので、鉄板からなるべく遠くへ置く。

老若男女がこの灼熱地獄を物ともせず、次から次へとやってくる。

中年のオヂ二人というのもいる。このまじめそうなオヂ二人づれはコギャル二人と組まされて気まずそうだ。カップル対カップルという相席もある。双方ぎこちなく、双方愛情を競い合い、双方くたびれている。

文士がお好み焼き屋で飲む、というのがどうも腑に落ちないと思っていたら、この店は、メニューにしらすおろしとかモロキュウなんかもあって、酒亭的な面も持ちあわせているのだった。

＊「朝顔ワルツ」藤間哲郎作詞

冷たいラーメンとは？

ラーメン……といえば、これはもう湯気モーモー、ウー、アチアチ、フーフー吹いてズールズル、も一度フーフー、ズールズル、という全面的にフーフー、アチアチの世界の食べ物だ。

しかし夏は暑い。ことしの夏は特段に暑い。

こういうときは熱いものは敬遠したい。やっぱり冷たいものを食べたくなる。ラーメンも冷たくすることはできないのだろうか。

冷やし中華のタレのような酸っぱいスープでなく、ふだん食べているあのラーメンを、あのまま冷却して食べることはできないものか。

つまり、フーフーしないノーフーフーのノーフーラーメンは可能なのか。ひんやり冷たいラーメンスープをゴクゴク飲んだらどんな味がするのだろう。

しかし、あのスープをあのまま冷やせば、鶏ガラやトン骨でとったダシの脂が、たちまち白く固まるであろうことは容易に想像がつく。動物系の脂は、熱があるからこそ液状化している。

さあ、この脂問題をどうするか。

実は、都内にも、ノーフーラーメン、すなわち冷やしラーメンをメニューに加えている店がいくつかある。

JRの新橋駅近くの「田々」は、昔から特製の冷やしラーメンを出す店として有名だ。それから喜多方ラーメンのチェーン店の「坂内」のメニューにも冷やしラーメンがある。

両店の冷やしラーメンはいかなる形態をしているのか。

スープたっぷしで、麺がスープに水没していて、ゴクゴク飲めるタイプなのか。

大体、中華、日本蕎麦ともに〝冷やしたとたんツユタレ化現象〟というものが起きる。冷やしたぬきにしろ、冷やしきつねにしろ、冷やし中華にしろ、冷やしたとたんツユをタレとして扱うため急にスープないしツユの量が極端に少なくなる。とてもゴクゴク飲むことなどできない。

冷やしたとたん、それまで水没していた麺が、急に夏の貯水池の底のごとく姿を現す。

「田々」の冷やしラーメンは、ちゃんとした水没ラーメンであった。

きっちり麺が丼の底に水没していた。すなわちツユゴクゴクラーメンであった。

肉体アヂアヂ時に
アヂアヂラーメンは
いかがなものか

カウンターで見ていると、まず丼にふつうのラーメンと同様にタレを入れる。ただしタレの量がふつうの倍だ。

それからゴマを入れる。そこへ、冷やしてあった企業秘密らしい小型ポリタンク入りのスープを注ぐ。茹でて冷やした麺（細麺）を入れ、メンマ、海苔、ナルトをのせ、キュウリの中華風？漬物と煮卵四分の一をのせる。焼豚はなし。スープの表面に、ほんのかすかに脂状のものが見えるが、脂が浮いているという感じではない。

ではスープを一口。

ズルズル、ウム、意外にしょ

っぱいぞ、ズルズル、醤油と塩の味がして、むろんそれだけでない数々のダシの味がするのだが、それが何かを推量することはできない。むろん、蕎麦ツユ系の味ではなく、明らかにラーメンのスープなのだが何かが抜けている。

そう、脂の部分が抜けている。

この店がそうかどうかはわからないが、(鶏ガラとトン骨でダシを取り、冷やして白く固まった脂をすくい取る)という店もあるようだ。

ゴクゴク
ゴクゴク
ゴクゴク
冷やしラーメンは
ツユゴクラーメン
でもあります

熱いラーメンスープをズルズルすすったときの、ウムウムというウムウムウム感は少ないが、そのコクが少ない分だけ、夏向きになってさっぱりしているということは言えそうだ。麺は冷やされてキリッとしたコシが出てなかなかウマい。

「坂内」のも、ちゃんとした水没ラーメンだった。

ここのは焼豚がビッシリ表面をおおっていて中央にメンマとネギ。

表面の脂は「田々」よりやや多い。

スープには氷が入っていて食べているうちにどんどん冷えていく。

従って焼豚もどんどん冷えていって、到着したときは透明だった脂の部分が白くなってきて、ニッチャリ感が強くなる。

「田々」で焼豚をのせなかった理由はきっとこれにちがいない。

スープの味は、より本格スープに近いような気がする。

結論としては、様々に工夫して熱いラーメンのスープに肉薄はしているが鼻の差で敗れ去った、というところだろうか。

後日、ふと気がついて、市販の袋入りの生ラーメンを買ってきて、「調味油」を入れないで作ってみたら、かなり似たような味になった。

「調味油」を入れて作ってみたら、はたして脂が点々と白く固まり、口の中がまことに具合の悪いことになった。

冷やしラーメンと冷やし中華はちがいます

冷やしラーメンを食べてつくづく思ったことは、ラーメンにおける脂の働きの大きさだ。

脂抜きのラーメンは、麺とスープがよそよそしい。丼の中で、お互いが勝手にふるまっている。

脂が入ったとたん、両者は手を取り合って喜び合い、ぬめり合い、くねり合って口の中に入ってくる。

新橋駅から「田々」に向かう途中、「冷やしタンメン」を店先に標榜する店（「天下一」）があり、これも食べてみたのでついでに報告しておこう。

いろんな店が、いろんなものを冷やしてみようとしているのだ。

このタンメンも、脂抜きで、従って野菜は炒めずに茹でてあり、豚コマも抜き。スープは水没まではいかないが〝腰のあたり〟まで入っている。

塩味のスープは、野菜だけでとったダシ、ということらしく、野菜の甘味がよく出ていて、〝ゴクゴク飲める冷たいタンメンのスープ〟は、意外においしいものであった。

焼き鳥各部論

いま、生ビールの季節まっ盛り。

一日の仕事を終えたおとうさんは、とりあえずビアホールに駆け込む。

で、とりあえず生ビール。

とりあえず枝豆。

数あるビールのツマミの中で、枝豆の〝とりあえず感〟は群を抜いている。

この〝とりあえず〟を広辞苑でひくと、〔不十分ではあるが、さしあたって。まず〕とあり、大辞林でひくと、〔いろいろしなければならないものの中でも第一に〕とある。

ぼくは断然大辞林の解釈のほうが好きですね。〔いろいろしなければ……〕というあたりが実にいい。

そうなんです。これからいろいろしなければならない。ビールは生から黒生に移行するかもしれない。

いや、その前に、ハーフ&ハーフを一杯はさむかもしれない。

ツマミのほうは、とりあえずの枝豆から串カツに移行するかもしれない。

いや、やっぱりその前に焼き鳥をひととおり食ってみっか。ま、ふつうのビアホールなんかだと、焼き鳥も通りいっぺんのものしか出てこないが、これがちょっとした居酒屋風ビアホールだと注文の仕方がむずかしくなる。

焼き鳥って決めて、「焼き鳥」って店の人に注文するとき、大抵の人はその細部について深く考えていない。店の人に「どれを何本ずつ？」と訊かれて初めて細部に思いを致す。

「まず、ふつうの焼き鳥を二本。それからスナギモ、エート、それからレバー？　ツクネ？　皮？　そのあたりを一本ずつ」

と、だんだん？が多くなっていって自信がなくなっていく。これで注文が終わったわけではない。

「シオとタレはどのように？」

と店の人に訊かれることになる。

この組み合わせは大変なことになる。二人で飲みに行ったなんて場合は更に大変なことになる。

「ぼくは、ふつうの二本がシオで、スナギモがタレで、皮がシオで、レバーがタレ。で、こっちの人がふつうの一本はシオで、もう一本がタレで、スナギモがタレで、皮がシオで、エ？　ちがうの？　皮はタレ？　タレカワ？　カワタレ？　タソカレ？　ヨコハマ、タソガレ？　ホテルノコベヤ？」
と、わけがわからなくなってくる。
というわけで、とにもかくにもやってきました、皿に盛った焼き鳥ワンセットが。
大抵の人が、どういうわけかまずふつうの焼き鳥から食べ始めますね。いきなりレバー、という人はあまりいない。

業界ではふつうの焼き鳥を正肉というらしいが、大抵の人がネギと鶏肉の正肉からいく。

「最初が肉で次がネギ」という店が多いが「最初がネギ」という店もある。でもやっぱり「最初が肉」のほうがいい。最初がネギだと、

「ネギ食いにきたんじゃねえや」

と言いたくなる。

肉の一片には必ず皮がついていて欲しい。皮の含まれていない一片は実に味けない。そして、正肉はやっぱり塩でいただきたい。

カリッと焼きあがった皮の表面の塩の味がまずして、皮のすぐ下の脂が香ばしく、と次の瞬間鶏肉本体の味になり、それからグニャグニャとそれら全体の味になり、適度に塩っぽく、適度に脂っぽく、最後に隣にいたネギから移った香りが肉から立ちのぼる。

次に食べることになるネギには、鶏の脂が移って

ネギといっしょの場合は
肉の厚さをネギの高さと同じにする

いて、このネギがまたグニャグニャとおいしい。

スナギモというのは不思議な部分だ。味にはそれほど深みはないが、その魅力は嚙み心地にある。焼き鳥の中では一番硬く引き締まった部分で、しっかり串にしがみついていて引き抜くのに力を要する。この部分はタレが合う。

レバーはユルユルに串に刺されているので、スナギモのあとレバーを食べると、あまりにあっさりと引き抜けるので拍子抜けする。嚙んでもあまりにフニャフニャと柔らかくてもう一度拍子抜けする。できたら、スナギモ↓レバーという順序は避けたほうがいいかもしれない。

ただ焼いただけなのに、人工的に練って作った練り物のような味と食感が、ワンセットの中で異彩を放つ。

皮がおいしい。皮大好き。皮もやっぱり塩ですね。縫い串に打った皮の、火にあたった部分はパリパリ、畳まれて火にあたらなかった部分はグニャグニャ、このパリグニャがおいしい。ボツボツの毛穴のついた表面の火にあたった部分がカリカリ、そのすぐ下の脂がヌメヌメ。このカリヌメがおいしい。

実をいうと、これまでわざと書き落としてきたのだが、焼き鳥の中で一番おいしいのは手羽焼きなのです。手羽には手羽元と手羽中と手羽先とがあって、ふつうの手羽焼きは、根元と先端を切り落とした手羽中である場合が多い。大抵、一串に二個刺してある。

ここの部分は、皮がたっぷりあって、肉が少しあって、骨と肉をつなぐスジのようなところがあって、つまり鶏肉の全部分がここに集約されている。

手羽焼きは串のまま食べてはいけない。必ず引き抜く。引き抜いて、その両端を紙ナプキンで押さえて持つ。両手で持つ。両手で持って両ヒジをテーブルにつける。つけたところで「お楽しみはこれからだ」とつぶやく。

脂をたっぷり下に敷いた厚めの皮のところ、薄めの皮のところ、厚めの肉のところ、骨にしがみついている肉のところ、焦げているところ、内奥で蒸し焼きになっている肉のところ、ぜーんぶ味がちがう。更に、〝かじりついて肉を骨から引きはがす楽しみ〟があり、大方食べてしまったあと、おや、ここんとこにまだ肉が、という〝捜索の楽しみ〟も味わうことができる。

山上のビアガーデン

屋外で飲むビールはウマい。屋内で飲むのとちがう味になる。

東京ドームで飲むビールはまずい。

神宮球場で飲むビールはウマい。

風が吹き渡ってきてジョッキの泡が風に揺れる。

特に夏は、ビールは屋外にかぎる。

ビアホールよりビアガーデン。

街の中より山の中。

山の上で飲むビールはこたえられない。

そりゃあ、山の上で飲んでみたいとは思うけど、ちょっと山ってのはなァ、毎日会社に行かなきゃなんないし、会社の帰りにちょこっと登山、というわけにもいかないし、

と、お嘆きの諸兄に、〝ちょこっと山で生ビール〟を紹介したい。

都心からはちょこっと遠いが、JR中央線の高尾駅まで足を運んでいただきたい。ちょこっと遠いので、その日は会社を早退していただきたい。

で、中央線の高尾駅で京王線に乗り換えて一つ隣の高尾山口で降りていただきたい。

ここからケーブルカーに乗って七分ぐらいの見晴らしのいいところに、標高四百三十七メートルの山の中のビアガーデンがある。

ケーブルカーに乗って生ビー

ルを飲みに行くなんて、会社を早びけする価値十分にあると思いませんか。

ケーブルカーに乗るときウチワをくれる。「高尾山ビアマウント　飲んで食べて一人三千円　夕方四時〜九時三十分」とウチワに書いてある。

ウチワをパタパタやりながら、緑を分けるようにして登っていくケーブルカーから外の景色を見ていると、どんどん辺りの空気が冷えていくのがわかる。

ウチワというものは不思議なもので、手にしたとたん、パタパタと手首を動かさずにはいられない。

別に涼しい風が欲しいわけではなく、手にしたとたん、日本人の本能がそれを駆動させずにはおかないわけです。

ケーブルカーの中で、ウチワをパタパタやっていると納涼気分が出てくる。早くコイコイ生ビール、という気分になる。

この日は金曜日だったので、ぼくは少し心配だった。

こんなウィークデーに、わざわざケーブルカーに乗って生ビールを飲みにくる人がいるのだろうか。

ケーブルカーの中には、生ビールを目ざすらしい人が十人ぐらい乗っているのだが、もしかしたらこれで全員なのではないか。

「ビアマウント」は峠の茶店みたいなところで、おつまみはコンニャクのおでんと山菜の漬けものとお団子ぐらいしかないのではないか。

「ビアマウント」は、チョー大規模なビアガーデンだった。

山腹の巨大な駐車場のような広場全体がビアガーデンだった。

その一番手前に二階建ての建物があって、客はその二階から埋まっていく。やはり、せっかく山に登ってきたからには、少しでも高いところに上がりたいのだろうか。

六時ごろはそれほどでもなかったが、六時半ごろには数百の席が埋まり、入口のところには十五、六名の行列さえできた。

近郷近在、すなわち八王子あたりの会社に勤めるサラリーマンなどが、会社が終わってから、納涼がてらにやってくるようだ。

席を確保した人は、三千円払うとまず生ビールの列に並ぶ。ちなみに女性は二千七百円、子供は千五百円だ。

食べ放題のおつまみは充実していて、枝豆、焼き鳥の定番から始まって、チマキ、アスパラクリーム煮、手羽先煮こみなど、なかなかこったものもたくさんある上に、時間の経過と共に更に新顔が登場するので、ときどき偵察に出かけなければならない。

他のビアガーデンと一番ちがうところは、全員が手にウチワを持っていることだ。忙しくジョッキを傾け、忙しくツマミをつまみ、ふと、左手のウチワに気づき、気づくとただちに自動的にパタパタと手が動く。

このパタパタの分だけ、他のビアガーデンの動作より忙しいことになる。

女性が三百円分安いせいか、女性の姿が目立つ。中年の女性グループが多い。保険会社関係、あるいはスーパーのパート関係だろうか。

ビールよりおツマミ、という人が多い。しきりに立って行ってはおツマミを取って戻ってくるのだが、太っている人は皿にうんとテンコ盛りにして戻ってくるし、やせている人は小ぢんまり盛って戻ってくる。肥満と食事の量の関係は、まことに単純な仕掛けであることがよくわかる。

せっかく山の上のビアガーデンに来たのに、最初のうちは景色に関心を示す人は一人もいない。

山の上ということをすっかり忘れて、ゴクゴク、パタパタ、ゴクパタ、ゴパクタを数十回くり返したのち、ようやく、「オー、いい風が吹いてくるな」ということに気づき、

「オー、あそこの山と山の間の道が中央高速か」ということになる。

　クーラーとはちがった、水分を含んだ夕暮れの山の冷気が足元からのぼってくる。提灯が山の風に揺れている。

　八王子の街の灯が遠くきらめいている。遠くでカナカナがないている。

　ときどき、蚊がプーンと飛んでくるところも、街の中のビアガーデンとちがうところだ。

　遠く連なる山の峰々。

　ケーブルカーで七分登っただけだが、ここはまちがいなく山の中だ。

　八時近くなってもまだまだビールを飲みにくる人の列は絶えず、ここは知る人ぞ知る山の中のビールの楽園なのであった。

お茶漬ゴロゴロ

寅さんのセリフじゃないが、「天に軌道のあるごとく」、古来より〝お茶漬はサラサラ〟と決まっている。

お茶漬はサラサラ、笹の葉もサラサラ、チャラチャラ流れるのはお茶の水。でもって、うどんはズルズル。タクアンはポリポリでせんべいはバリバリ。エート、あと何かないかな。そうそう、ドングリはコロコロで入れ歯がガクガクでカミナリはゴロゴロ。

以上のことは、天に軌道があるごとく、古来より決まっている。

もし、この〝軌道〟がメチャクチャになったらどうなるか。

うどんがコロコロで、カミナリがポリポリで、入れ歯がズルズル、お茶漬がゴロゴロ……。まことにもって収拾がつかなくなる。

ところが世の中には、この〝軌道〟を無視する人もいて、その無視を受け入れる人々

と、とんかつがノドにつかえる

もいるのである。

すなわち「お茶漬ゴロゴロ」。どういうふうにお茶漬がゴロゴロするのか。どこでお茶漬がゴロゴロしているのか。

という問題はあとで述べるとして、どういうふうにお茶漬はサラサラするのか、という問題を先に考えてみよう。

お茶漬にもいろいろあるが、とりあえず、お茶漬の代表、鮭茶漬で考えてみよう。

鮭茶漬は、ゴハン粒、こまかくほぐした鮭の細片、お茶、の三者で成り立っている。

この三者が、口の中に同時流入してきて同時通過していく。

このときの流入感、通過感を味わおうとするものが茶漬である。

じゃあ全然嚙まないのか、というと一応嚙む。ところどころ嚙む。ところどころ、あてずっぽうに嚙む。

食べ物というものは、口の中に入ってきたとき、ここだ、という嚙みどころがあって、そこのところで嚙む。

その嚙み方にも、いいかげんに嚙んでいるときと、ここだ、と力を入れて嚙むときと二通りある。

お茶漬には、この〝ここだ〟がないんですね。

せっかく口の中に入ってきたものを、全然嚙まないというのも失礼だからということで、一応嚙む。儀礼的に嚙む。だから嚙み方に熱意がない。

ところどころ、思い出したように嚙むだけだから、流入してきたゴハン粒、鮭の細片、お茶の三者は、入ってきたときとほとんど姿を変えずにノドの奥に消えていく。もちろん、お茶も姿を変えないことは言うまでもない。

このときの、口から入ってきて、口の中を液体と細片が流れながら通過していくときの形容を、サラサラと表現する。

これが〝お茶漬サラサラ〟の始まりである。

国の始まりは大和の国、島の始まりが淡路島。お茶漬の始まりはサラサラ。

何だかよくわからないがそういうことなのだ。何だかよくわからないがようくわかったことにして次を急ごう。

お茶漬ゴロゴロの現場はどこか。

こちら現場。

わたしはいま、新宿駅のほうから来た歌舞伎町の入口のところにあるトンカツ屋「すずや」の入口の前に立っています。

おや、店の入口のところに何か書いたものが貼ってあります。読んでみましょう。

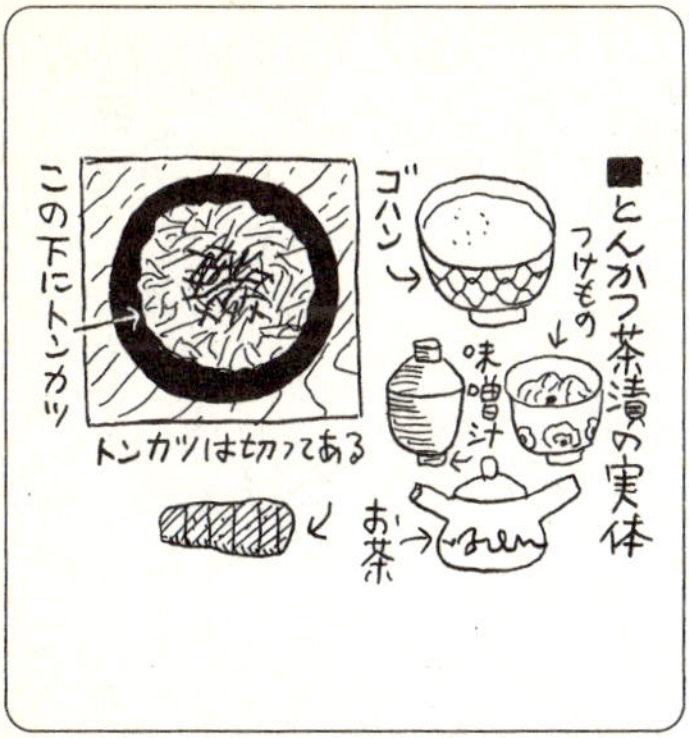

「昔、すずやが総菜屋だったころ、主人の知恵から生まれた逸品です。とんかつのボリュームとお茶漬のもつあっさりさを一緒にどうぞ」

なんと、「お茶漬ゴロゴロ」のゴロゴロの主はトンカツだったんですねえ。驚きましたねえ。

お茶漬はあっさり系の食べ物の大代表である。トンカツはこってり系の大代表である。この大代表同士がこの店で激突するのだ。

とんかつ茶漬　一四五〇円。

どういうものかというと、熱せられた鉄板の上に切ったカツ（ヒレ）をのせ、その上から幅一センチぐらいに切って炒めたキャベツを山盛りにのせ、一番上に刻み海苔をパラパラとかけてある。

キャベツの上から明らかに醤油系とわかるタレがかかっていて、これがトンカツにもよくしみこんでいる。

この一品と、ゴハン、味噌汁、キャベツの塩漬と高菜漬、それにお茶漬用のお茶が入った急須のワンセット。

どうやって食べるのか。

テーブルの上に食べ方を書いたカードが用意されている。

①ふつうのとんかつ定食として食べ、とんかつがあと三切れぐらいのときに茶漬にする。

②ゴハンにお茶だけをかけて茶漬にし、とんかつをおかずにして食べる。

③最初からとんかつとキャベツをゴハンの上にのせ、お茶をかけて食べる。

ぼくは①を採用した。

ゴハンの上にトンカツをのせ、上からお茶をかけた。

いまここに、両大代表が激突したのだ。トンカツは、その生涯において、これまで一度だってお茶をかけられたことはあるまい。

これまで、ソースや醬油や味噌（名古屋地方）がかけられたことはあっても、よもや自分の身の上に、お茶が降りかかってくるとは思いもよらなかったにちがいない。

とにもかくにも、トンカツはお茶の中に沈んだ。

お茶の中に沈んでも、トンカツのコロモにかなり塩《しょ》っぱい醬油のタレがしみこんでいるので味がぼやけることはない。

が、なにも両代表を激突させて両者に恥をかかせることはないではないか、というような結果になっているような気がする。

が、店内にはこのファンが多数詰めかけているのだった。

氷大好き

世の中にはヘンなものを好む人がいっぱいいるが、ぼくは氷が大好き。

氷は見ているだけでも楽しい。

口に入れてしゃぶっているのも楽しい。だが一番楽しいのは、コップに氷を入れ、そこに様々な飲料を入れ、カラカラようく振って、中のものをようく冷やして飲むときだ。

ぼくはジュースでもサイダーでも、少しでもぬるいとハラが立つ。

ラーメン屋に行くと、まず水が出ますね。

その水の中に、氷が入っていたりすると、このラーメン屋のおじさんはいい人なんだ、と、まず思う。

そして、これから出るラーメンが多少まずくても許そうという気になる。

また、熱いラーメンを食べたあとに飲む氷の入った冷たい水って、本当においしいんですよね。

多少まずいラーメンでも、冷たい水のおいしさに、ついうまかったような気がしてくる。

反対に、多少うまかったラーメンでも、そのあとぬるーくて、カルキくさーい水を飲むと、なんだかまずかったような気がしてくる。

氷を見ていて楽しいのは、あの透明感と、キラキラと水晶のようにきらめく輝きだ。

この二つは、家庭の冷蔵庫で作った氷には望むべくもない。

やはり、コンビニでお金を出して買ってこなくてはならない。

こういう氷をコップに入れてジュースをそそぐ。コーラをそそぐ。サイダーをそそぐ。

特にサイダーがいい。

サイダーをそそぐとコップの中はシュワシュワと大騒ぎになる。

ピチピチと小さな泡が、線香花火のようにあちこちに飛び散り、シュワシュワと全体の泡がコップのフチのところまで白く浮きあがってくる。

そうしてその泡の騒ぎが静まったところで、グイッとコップに口をつけて飲む。

そうするとですね、小さくて冷たい無数の泡が、頬っぺたの内側や、歯ぐきや、舌全体の表面でピチピチと破裂し、プチプチと刺激し、この感覚がなんともこたえられないわけです。

昔よくあった掘るタイプ
大判小判がザークザークザックザック♪

そうやって二杯目をそそぎ、三杯目をそそいでゴクゴクと飲み終わる。とコップの中に氷が残る。

少しカドが取れ、やや容積を損失はしたものの、最初入れたときとほとんど姿、形を変えることなくコップの中に残っている。

この氷、捨てますか。

ぼくは捨てません。

また冷凍室に戻すわけだが、このときなぜかコソコソする。

みみっちいような気がして、一人のときでも堂々と戻せない。

ところがこれが、ホテルの廊下などに設置してある、ホテルのサービスの氷となるとガラッと態度が変わる。

ぼくはもともと氷大好き人間なので、あの氷を取りに行くところから、もう楽しくてしょうがない。

部屋に備えつけのバケツを手に持ち、いざ、ドアを開けて廊下に出ていくときの気持ちは、カゴを背負ってこれから山にキノコを穫《と》りに出かけていく人の心境に似ているかもしれない。

あそこには無尽蔵に氷がある。

スコップで掘るタイプだと、掘っても掘っても、いくらでも奥のほうから氷が出てくる。

そこのところがたまらなく嬉しい。

まるで宝の山に入ったようだ。

掘ってはバケツに入れ、また掘っては入れ、人生でこんなに楽しいことがほかにあるか、と思うぐらい楽しい。

バケツに山のように氷が盛りあがり、穫れた、穫れた、たくさん穫れた、と嬉しくてたまらない。

こういう氷は、コンビニの氷とちがってどんどん無駄使いする。

少し溶けかかって水分が多くなるとすぐに捨て、また廊下に取りに行く。

氷に対するぼくの基本的な姿勢は、大量確保、大量保持、大量消費である。

だから、たとえば飛行機や新幹線などで水割りをたのんだときの、あのほんの少ししかくれない氷がうらめしくてならない。

ウイスキーのミニチュア瓶一本に対し、せいぜい氷が二個。それもグズグズのすぐ溶けそうなのが二個。

ミニチュア瓶で水割り三杯はつくれる。水割り三杯を、グズグズ氷二個でどうやってまかなえというのか。

飛行機の中でも、新幹線の中でも、水割りのコップを手にして、「溶けてくれるな。ゆるんでくれるな」と祈るような目つきのオジサンたちをこれまで何人見てきたことか。

ぼくなんかも飛行機で水割りをたのみ、コップにポトポトと二個しか氷を入れてもらえないと、

「コラッ、もっと入れろ。ケチケチすんな、コラッ」

と心の中では思っても、

「サンキュ」

などとついニッコリしてしまう。

こういう〃氷大量消費型人間〃に強い味方が現れた。

新幹線の発着駅である東京駅に隣接する大丸デパートの地下一階の酒売り場に、こういう人たちのための氷が売られている。

この売り場の〃アイスボール〃というのがいい。

プラスチックのコップの中に、直径六センチのまんまるい氷が一個入っていて百五十円。

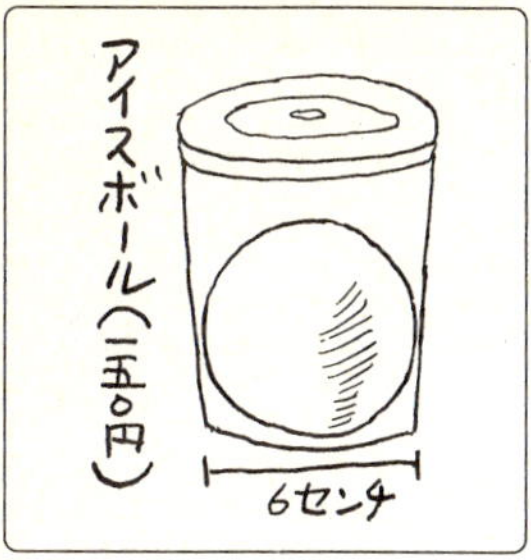

このまんまるは純正のまんまるで、しかも水晶のように透明。見ているだけでも十分楽しめる。コップなしだと四個セットが三百五十円。このまんまる氷一個で、水割り五杯は保《も》つ。四個だと二十杯は保つ。
冷凍保存用の銀紙のパックも売っているので、これに十個も包んでおけば、大阪でも博多でも、成田からハワイまでも保つ。（たぶん）

名古屋喫茶店事情

あのよう、久しぶりに名古屋に行ったらよう、喫茶店のモーニングサービスに、ゴハンと味噌汁がついていたでよう、どえりゃーびっくりしたがね。

名古屋市の中心部、栄の地下名店街の喫茶店「せぶん」。時刻は午前十時。店の前にサンプルをのせたテーブルが置いてあって、本日のモーニングサービスの現物見本が三コース並べてある。

Aコースがトーストとゆで卵。Bコースがミックストーストとゆで卵。

ここまでは、ごくふつうのモーニングセットといえる。

Cコースは、黒くて四角いトレイの上に、ゴハン、味噌汁、オムレツとマカロニサラダ、焼き海苔が並べてあって六〇〇円。

そして、そのトレイの横に、当然といえば当然なのだが、なんだか身の置きどころが

ないような、肩身の狭そうな風情でコーヒーのカップが添えてある。
　トーストとかサンドイッチを従えていてこそ、コーヒーはモーニングサービスの主役なのだが、ゴハンと味噌汁と焼き海苔といっしょに並ばされて、コーヒーはなんだかきまりが悪そうだ。
　もし東京で、喫茶店で味噌汁飲みつつゴハンを食べている人を見かけたら、目がテンになることうけあいだが、名古屋ではこれはあたりまえだがや。
　Cコースの和食セットのところの説明に「ライス＋味噌汁＋

日替わりおかず」と書いてあったから、オムレツのところが焼き魚になる日もあるにちがいない。納豆になる日もあるにちがいない。ぎょうざの日もあるにちがいない。ホッケ塩焼きの日もあるにちがいない。

なんだかもう、ワケわかんなくなってきた。喫茶店だか炉ばた焼き屋だかわかんなくなってきた。

あとで名古屋出身の人に訊いたら、

「モーニングに〝おにぎりと味噌汁〟なんてのもいくらでもあるでよ」

ということであった。

「せぶん」の和食セットを発見してから俄然興味がわき、繁華街の喫茶店をしらみつぶしに見てまわったのだが、まず気がついたのは、名古屋の喫茶店の多さだ。やたらあっちこっちに喫茶店がある。

そして、どの店もモーニングサービスをやっている。そのモーニングサービスの内容が実に多彩で、店によって様々に工夫をこらしている。

それからモーニングサービスの開始時間が早い。朝の五時から、という店さえある。

ウーム、これはどういうことだ。

名古屋では、朝の五時からコーヒーを飲む人がどえりゃー多いのか。

モーニングサービスの値段が安いのも名古屋の特色だ。三三〇円というのが相場のようだ。

モーニングサービスの内容もきめがこまかい。

コーヒー（二八〇円）に五〇円プラスでトーストと卵、一五〇円プラスだとサンドイッチと卵という店や、コーヒー（二八〇円）に一六〇円プラスで①ベーコンエッグ②ハムエッグ③ポテトサラダのいずれかを選べる店もある。

栄地下街の「Ａｒｓ《アルス》」という店は、三五〇円で「トーストと卵食べ放題」だった。

名古屋はどうもなんだか朝早くから喫茶店が大賑わいで大騒ぎのようなのだ。

名古屋名物
小倉トースト
トーストして
バターをぬり
アンコを
はさむ
いけます

なぜ名古屋のモーニングサービスは早いのか。

と思いながら街を歩いていて、ふと気がついたのだが、名古屋市街は喫茶店に限らず、商店街全体の開店が早いのだ。

朝の九時過ぎには、もう靴屋さんが開店している。金物屋さんが開店している。時計屋さんが開店している。

開店している、という意味は、シャッターをガラガラ開けている、という意味ではなく、店の主人も店員もすでにしっかりと身支度をととのえ、レジの

コーヒーにピーナッツがなかったら行きゃせん

前に立ち、いまか、いまか、と客の来るのを待ち構えている、という状態を意味する。

しかも九時半ともなると、その開店している靴屋さんにはちゃんと客が入っていて、しっかりと一足一足靴を選んでいたりするのだ。

どうやら名古屋人は朝が早いらしい。名古屋の人は働き者なのである。

そういう朝の早い人たちのために、喫茶店は朝早くからモーニングサービスを開始する、と、こういうことのようなのだ。

名古屋の喫茶店のもう一つの特色は、コーヒーを頼むと何か一品サービスの品がついてくる、というものである。

何か一品というのは、小皿に柿ピーとか、飛行機で出てくるミックスナッツの小袋、といったたぐいのものだ。

なぜ名古屋ではコーヒーに何かがついてくるのか。

タクシーの運転手の証言によると、

「何か一品つかないような店には誰も行かんでよ」

ということであった。

コーヒーの回数券も、名古屋の喫茶店の特徴だ。大抵の店が、バスの回数券と同じような、十一枚つづりで三〇〇〇円とか、十枚つづりで二八〇〇円などの回数券を発行している。

なぜ名古屋では回数券がはやるのかというと、「回数券を発行しないような店には誰も行かん」のだ。

どうやら名古屋の人は、何か得をしないと気がすまないらしい。

店側は何か一つ誠意を示してほしい。その誠意は、金銭的な問題に還元して示してほしい。

いや、金銭面以外では示さないでほしい、というのが名古屋の人の本音のようだ。

名古屋エビフライ事情

あのよう、名古屋以外ではよう、どのぐらいの頻度でエビフリャーを食べておりゃーすのかな。

名古屋以外のごくふつうの一般人が、「きょうは何を食べようかな」と考えたとき、まず浮上してくるのは、カレー、ラーメン、そば。それから天丼、かつ丼などの丼物。あと、スパゲティ、ヤキソバ、すしといったところではにゃーだろうか。

エビフライが候補として浮上してくることはまずない。第一、エビフライを食べさせる店が非常に少ない。定食屋でも、アジのフライはあってもエビフライはなかなかない。エビフライは洋食の店が一番似合うが、洋食店は数が少ないし、昼食には値段が高い。

ところが名古屋では事情が一変する。街中にエビフライが氾濫している。名古屋の街をちょっと歩けば至るところでエビフライにお目にかかれる。まず喫茶店のメニューに必ずエビフライがある。

名古屋には喫茶店が多いということは84ページで書いたが、喫茶店のショーケースには必ずエビフライがあるから、街を歩くとやたらにエビフライが目に入る。

もちろん定食屋のメニューにもエビフライは必ずあるし、居酒屋にもある。

話は突然変わりますが、近年、ウーロン茶の進出ぶりはめざましく、飲食関係の店には必ずおいてある。

喫茶店、レストラン、ファミレス、割烹、カレースタンド、牛乳スタンド、甘味喫茶、どこにでもウーロン茶はおいてある。

つまりですね、名古屋では、エビフライが〝ウーロン茶状況〟にあるのです。飲食店にウーロン茶が常備してあるごとく、名古屋の飲食店にはエビフライが常備してあるのです。

という具合に、名古屋市内にはエビフライがあふれている。

エビフライを蹴りながら歩いている人もいる。(ウソです)

名古屋の人は、一日一回はエビフライを食べる。(たぶん)

どういうところで食べるのが多いかというと、喫茶店で食べるのが一番多いという。

どういうふうに食べるのかというと、エビフライをいろんなものに応用して食べる。

エビフライドッグというのを喫茶店のショーケースで見た。ウィンナの代わりにエビ

エビフライをなんとか引き立ててやりたい名古屋の人
これに入れるってのはどうかな
味噌汁→

フライが一本はさんである。エビフライサンドというのもあった。オープンサンド風に、食パンの上にエビフライが三本も並べてあって値段は八五〇円。

エビフライカレーというのもあった。カツカレーのカツの代わりにエビフライが二本横たえてある。

カツ丼のカツの代わりにエビフライをのせて卵でとじたエビフライ丼もあった。

オムライスの横にエビフライが二本、ハンバーグの横にエビフライが二本、というように、大抵のものにエビフライを添える。ヤキソバの横にも、お好み焼きの横にも、エビフライが二本。

名古屋ではエビフライは、刺し身のツマ的状況にあるのだ。

カレー丼風のハヤシ丼に、二本のエビフライを牛のツノのように突き立て、名古屋城のシャチホコに見たてたシャチホコ丼というのもあった。

名古屋の人はエビフリャーが大好きで、相思相愛の仲だから、恋人をなんとかして引き立ててやりたいのだ。

いろんな人に紹介したいのだ。

ふつうトンカツ屋のメニューはトンカツから始まるが、名古屋では最初にエビフライがくる店が多いという。

エビフライが一番エライのだ。

名古屋の人は、お盆や正月など、みんなで集まったときは必ずエビフライを食べるという。

もちろん結婚式にエビフライは欠かせず、その大小で式の格式が決まる、というのは、もはや全国的に知られた名古屋事情だ。

エビフライは大きいほどエライ。

そういう理由からかどうか知らないが、エビをアジのように開いて、平べったくして揚げる店もある。

エビフライは丸いものと思いこんでいた人にとっては大変なカルチャーショックだ。

名古屋の人はエビフライが大好きなあまり、エビフライをいろいろかまいたいのだ。猫好きが猫をかまいたいように、エビを切ったり開いたり、足を取ったり、首を絞めたり蹴って歩いたり（そんなことはしないか）、いろんなふうに愛したいのだ。

それにしても、名古屋の人はなぜエビフライを崇拝し、愛好するようになったのだろうか。

名古屋の人はもともとエビ好きである。名古屋の人はもともと揚げもの好きである。（天むす、味噌カツなど）

というような理由がこれまでいわれてきた。

ではなぜエビ天ではなくエビフライなのか。エビ天に走ってもよかったのではないか。

エビ天とエビフライはどうちがうのか。

エビ天のほうは、フワッと柔らかく揚がっているのに対し、エビフライのほうは全体がひきしまって、カリッと揚がっていて嚙みごたえがある。

この嚙みごたえを、名古屋の人は、

「嚙みでがあるでよ」

と高く評価したのではないか。

使いでがある、読みでがある、の〝で〟である。

この〝で〟は、

〔予想以上に労力、時間を要する。またそれによって得られる充実感、満足感〕

の〝で〟だ。

87ページに書いた喫茶店の回数券、サービスのピーナツ、そしてエビフライに対する評価の仕方、それらはすべて、この〝で〟につながっているような気がする。

スイカを剝いて食べたら……

リンゴでもナシでも、皮のある果物は剝《む》いて食べるのがふつうだ。柿も桃も、皮を剝いて食べる。

スイカにも皮がある。だが、スイカは剝いて食べない。皮の反対側から食べていって、皮のところに至る。

このスイカを、リンゴやナシのように剝いて食べたらどうだろう。

ということを、フト、考えついてしまったのですね。丸ごと全部、皮を剝かれて丸裸になった赤いスイカを、これまで見たことがありますか。

大体の想像はつくが、ウーム、一体どういうことになるのか。なんだかワクワクしますね。

スイカを剝いて食べた人は、恐らくこれまで一人もいまい。

もしこれを実行すれば、人類初の快挙ということになる。
　先日、十四歳の高橋素晴《すばる》少年が、太平洋単独横断に成功してヨット界の世界最年少記録をつくった。もしぼくが、スイカ単独丸剝き食いに成功すれば、スイカ界の世界最年長記録として騒がれるのではないか。
　ぼくは早速スイカを買いに、駅前の果物屋に単独で出かけて行った。
　直径二十二センチ、重さ四・一キロ、定価千円ポッキリのスイカを単独で購入し、単独で帰宅することに成功した。スイカには（秋田ＪＡ羽後・三輪産）

というレッテルが貼ってある。

流しの上にマナイタを渡し、その上にスイカをのせる。

スイカ本人は、これから世界初の、〝剝かれ食い〟の栄誉ある当人になることをまだ知らない。

人間の習慣というものは恐ろしいもので、マナイタの上にスイカをのせ、そのスイカに包丁の刃を当てると、そのままズーッと切り下げていきそうになった。

あわてて包丁の刃を押しとどめる。

さて、この丸くてでかいスイカを、どうやって剝いていったらいいのか。「スイカの皮の剝き方」を書いた料理の本はない。

とりあえずそぎ切りでいくことにした。まずヘタのところを水平に切り落とし、そこから少しずつ包丁でけずっていく。牛肉のカタマリを大きな刃物でけずり取って食べるシュラスコ料理というのがありますね。あの方式。

とりあえず緑の皮だけけずっていくと、全体が少しずつ白くなっていく。

スイカはまん丸く、ちょうど人間の頭ぐらいの大きさなので、なんだか坊さんの頭を剃髪しているような気分になる。

ところどころ、けずり過ぎると、その下の赤い部分が滲んだように赤く浮き出て思わずハッとする。坊さんの頭を切ったような気がしてハッとなる。

十分もかからないうちに、スイカは全身まっ白で、ところどころ赤く滲んだ大きな球体になった。

まるで白い布で包んだ生首のようだ。

さて、これからどうしたものか。

このものは、これまでのスイカのイメージとはまったく違う物体なので、

「エート、スイカってどうやって食べるんだっけ」

と改めて、頭の中でスイカの食べ方を思い浮かべなければならなかった。

ふつう、スイカは中心の赤いほうから白いほうに向かって食べていって、白いところは捨てる。ということはこの白いところはとりあえずけずりとる、と。

というふうに、一つ一つ手順を暗中模索する。

今までの食べ方は、中心から外に向かって食べていくわけだが、今回の食べ方は、外から中へ、つまり逆のほうから食べていくことになる。

なにしろ人類初、前人未到の作業であるから一つ一つ迷い、一つ一つ手間どる。

今度は白いところを肉厚にけずっていく。白いと

ころからいきなりまっ赤な部分が大きく現れると、これでいいはずなのにドキリとする。

この作業はわりに簡単で、スイカはアッという間に全身まっ赤な球体になった。

水分を含んで濡れそぼった、全身まっ赤で異様に巨大な丸い物体を想像してみてください。こういうものは、これまで誰も一度も見たことがないはずだ。なんだか怖い。

赤い果肉のところどころに、けずり残した白い部分の葉脈のような白い網目が残り、それがなんだか白い血管のように見え、火星人の脳髄のようでとても怖い。(見たことないけど)

なんだか罪を犯したような気分になって思わず周りを見回してしまった。とりあえず外側を二センチぐらいの厚さにけずりとって食べてみる。全然甘くない。それはそうだ。ふだんの食べ方では一番最後の、一番甘くない部分だもの。この外周は、すべて甘くない一周なのだ。二周目は少し甘くなる。ということは……、三周、四周とけずっていくと、最後に中心の一番甘いところが残ることになる。それも球体として残ることになる。

日本酒の吟醸酒は、米の粒をけずりにけずって六割までけずるものさえあるという。

それだ。それと同じだ。人類初の吟醸スイカをぼくは食べることができるのだ。

残りが直径十センチぐらいになったところでぼくはけずるのをやめた。

いまぼくの手の中に、直径十センチの、赤くて丸い吟醸スイカボールがある。スイカの中心の甘いとこだけのボールだ。しかもこのボールは、食べていけばいくほど更に甘くなっていくのだ。

全人類が夢にまでみたスイカの中心だけ食い。スイカのおにぎり食い。

「どんなにかウマかったべなー」

と思ったでしょ。それ以上にウマかったです。

アンコトーストはウマいか？

82ページの名古屋シリーズのところで、名古屋名物「小倉トースト」について書くのを忘れたので、ここで書かさせていただくことにする。

この〝させていただく〟は、このところ鳩山新党がらみで論議の的になっているので、使わせていただくのを遠慮させていただきたいと思ったのだが、なんとなくスラッと書いてしまったので、そのままにさせていただいて次に進ませていただくことにする。

小倉トーストはこのシリーズと因縁がある。もう一年以上も前のことだが、アンパンをテーマにして書いたことがあって（『ブタの丸かじり』176ページ）、そのとき、「パンとアンコ、という組み合わせはアンパン以外にない」と断定的に書いたところ、抗議の手紙が殺到した。殺到したといっても全部で四通ほどで、その四通のすべてが名古屋地方からの発信だった。

アンコ
小豆餡
と
バター
が合うなら
バター入りお汁粉も案外いけるのでは

「小倉トーストというものがあるではにゃーか」

というのである。

「アンサンドというものもあるでよ」

というのである。

名古屋では小倉トーストはふつうの食べ物で、喫茶店のメニューにもちゃんとある、というのである。

ほーか。そうでおりゃーしたか。ほんではいつの日か、その小倉トーストゆーもんを、食べてみにゃーあかん、そう思っとったんだわ。

ほてからに、今回名古屋に行きゃーしたときに早速食べてみたと、こーゆーわけだがや。

そのことを書く前に、小豆のアンコのことをなぜ小倉というのか、このことを解明しておきたい。

解明しようと思ってとりあえず辞書を引いてみて次のようなことがわかった。どの辞書も「小倉」に関してはなぜか実に冷たい、ということがわかった。どの辞書も、まるでお役所風の回答で口をにごすのである。

〔小倉とは小倉餡のことで、小倉餡とは小豆の漉餡《こしあん》に大納言・赤小豆または隠元豆の蜜煮を粒のまままぜた餡のこと〕と言ったっきり、そういうアンコをなぜ小倉と称するのかということに関しては堅く口を閉ざすのである。

閉ざされたのではどうにもならないので話を次に進めさせていただく。

小倉とは、要するに世間一般で言う粒餡のことだということで話を進めさせていただく。

小倉トーストは喫茶店のメニューにある、ということなのだが、一体どこの喫茶店に行けばあるのか。

それを売り物にしている喫茶店はどこにあるのか。

と心配していたら、なんのことはない、小倉トーストは、名古屋の喫茶店ならばどこにでもあるのだ。

ない店はない、といっていいぐらい必ずあるのだ。

名古屋というところは、つくづく特殊なところだと思いましたね。名古屋以外の人は発想しないものを、名古屋の人は発想して実現してしまう。天むすもそうだし小倉トーストもそうだ。

チャレンジ精神に富み、タブーを恐れないところがある。とにかくやってみよう、という精神が旺盛なのだ。

広辞苑
小倉クンについてはあまり多くを語りたくありません

トーストにしろ、サンドイッチにしろ、世間一般の人は既成の概念にとらわれてまず前例を見る。

サンドイッチならば、そこにはさむものはハム、チーズ、卵、野菜、ツナ、以上、と考えてそれ以外のものをはさもうとは考えない。

トーストに塗るものといえば、バター、ジャム、マーマレード、以上、と考えてそれ以外のものを塗ろうとしない。

名古屋の人は、とにかく塗ってみる、はさんでみる、食べてみる。

塗ってみせ、はさんでみせ、食べてみせ、という

山本五十六司令長官のような人ばかりが名古屋にはいるのだ。

名古屋の喫茶店の小倉トーストは一応二種類あるようだ。

まずパンをトーストする。そこへバターを塗る。そしてその上から粒餡を塗る。

粒餡はゆるめに練ってあり、かなり厚めに塗る。

このままもう一枚のパンではさんで食べる食べ方が一つ。

この場合は、パンは熱いがアンコは冷たい。

もう一つの方法は、このアンコをはさんだものをもう一度トーストして全体を熱くする。

アヂアヂ、と思わず叫ぶほど熱くする。

このアヂアヂトーストがウマい。アンコまで熱くなっていてウマい。

アンパンと一番ちがう点は、バターの塩気が入りこんでいるところだ。

バターの塩気が、〝お汁粉のシソの実〟的アクセントとなっている。

アンパンはアンコが甘くて、全体としておやつ的雰囲気があるが、小倉トーストはそこにバターの味が加わっていて、その上熱く、そこのところがトースト的味わいになっており、その部分が食事的雰囲気になっている。

つまり、小倉トーストは、食事のような、おやつのような存在なのだ。

名古屋の人はこういう高カロリーのものを常食しているから、街中に小錦のような人々があふれている、かというとそんなことはない。このあたりも名古屋の七不思議の一つだ。

名古屋の七不思議というのはまだ整理していないが、たちどころに七つぐらいは挙げられるような気がする。

名古屋から帰ってきて、早速、市販のアンコを買ってきて小倉トーストをつくって食べてみたが、やはりウマかった。たちまちやみつきになった。

市販のアンコはお湯で少しゆるめるとよいようだ。ぜひ一度お試しください。

切ってないトンカツ

トンカツ屋でトンカツをたのむと、当然のようにタテにいくつかに切って出してくる。

大体六切れぐらいですかね。

ま、六切れか七切れ。

いえ、ウチは六十四切れに切っています、という店はまずない。

だけどあれ、自分のトンカツでしょ。

自分のトンカツを、店のオヤジの好みのままに切らせてもいいものなのか。自分流に、自分で気ままに切って食べてみたいとは思いませんか。

え？　思わない？　おかしいなあ。

ぼくはいつもそう思うのだが、トンカツの専門店は和食系ということになっていてナイフ、フォークの用意がない。箸しかないから箸で食べられるようにと切って出すこと

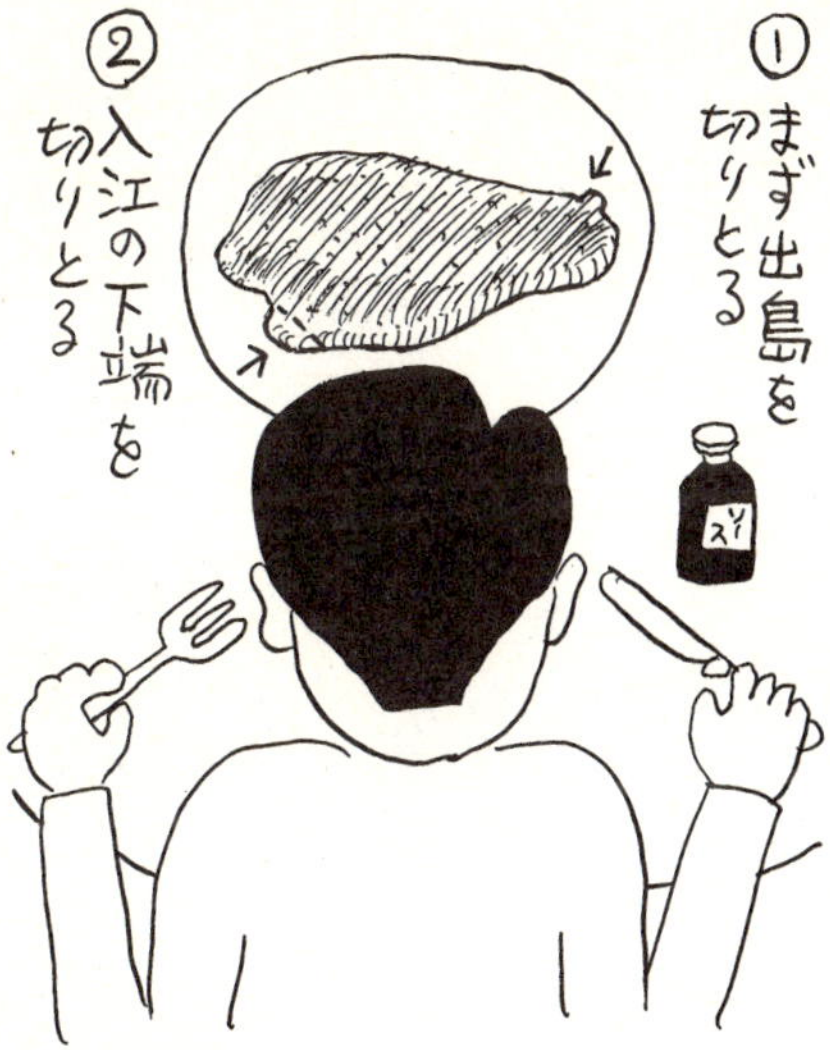
①まず出島を切りとる
②入江の下端を切りとる
ソース

になるのだが、そういう店でもナイフ、フォークを用意しておいてもらいたい。

そうすれば無傷のトンカツを客に提供することができる。

切って傷がついてしまったトンカツは、なんかこう、新品という感じがしない。

すでにもう中古品という気がする。〝新品を買った〟のではなく、〝中古品を譲ってもらった〟という気になる。

せっかくの新品に人の手がかかって傷がついたわけだから、これがもしクルマだったらエライことになる。

切られてしまったトンカツは

自分流に食べることができない。オヤジ流を押しつけられて食べることになる。

ぼくとしては全域等間隔ではなく食べたい。中央部の肉のひきしまったあたりはタテにうんと細長く、右はじ部の脂地帯は脂の含有率を考慮しながら四角く、というふうに、その部位に対応しながら食べていきたい。

等間隔に切られてしまうとそういう融通がまったくできない。

たとえば新聞などにマンションの広告がときどきはさまってきますね。広告には間取り図が載っている。

ああいうのを見ると、

「ぼくだったら、この部屋はもっと大きくして、そのかわり隣の部屋を少しけずってもいいな」

とか、

「この部屋とこの部屋はこんなふうに分けないで、むしろ一部屋にしたいな」

などと、とてももどかしいのだが、切られてしまったトンカツのもどかしさと通じるものがある。

美観的にも切られたトンカツはよくない。切り口のコロモがはがれてめくれていたりして見苦しい。

全域無傷のトンカツは美しい。

右側先細り、全域キツネ色、パン粉トゲトゲ、湯気ポカポカの一枚肉はカリカリに揚がってパカパカ。

さあ、どこから切ってくれようか、と胸ワクワク。

トゲトゲのコロモの下の肉はどういう肉質か。どういう脂の分布状況か。どういう熱の通り具合か。

それはいまは一切わからない。切ってみてのお楽しみだ。

なのに、すでに切ってあるトンカツはそのすべてが露見している。

もう一度、目の前のトンカツに目を戻そう。ふと、トンカツの右はじの上方部に小さな突起を発見する。

半島とまではいかないが、ま、出島クラスの小さな突起だ。

急に嬉しくなって、その突起をナイフで切りとって口に入れる。この部分は儲けである。（そんなワケないか）

この部分はいわゆる脂地帯で、肉の部分も少し含んでいてとてもおいしい。

その部分をコリコリ食べながら、再び全域に目をやると、左はじ下方部に小さな入江発見。ほんの少し湾状にくぼんでいる。

入江の下端部を再びナイフで切りとって口に入れる。

やや入り組んでいた海岸線が、少しなだらかになった。

環境が少しずつ整備されていっているのだ。

ではそろそろ本工事にとりかかろう。

ステーキでもトンカツでも、切って食べるときは大抵の人は左はじから切り始める。

だが、どまん中を強行突破でタテに切断するというテもある。

切断して、肉質、肉厚、熱の通り具合などの内部状況を見る。

ソースは、いきなり全域にかけたりせず、これから切りとって食べる部分にだけかける方式でいく。

いきなり全域にかけまわしてしまうと、トンカツは左はじから右はじに向かって食べていくわけだから、右はじのほうが時間がたつにつれてソースでほとびてしまう。

ときには細長く、ときには幅広く、ときには三角に切りとって食べていく。肉の状況を見ながら、肉質に応じて切りとって食べていく。

そしてときには、いきなり右はじの脂地帯を少し切りとって食べ、味の変化をつけたりする。

ね、切ってないトンカツはこういうふうに楽しいわけです。

こういうふうに、自分流に、気ままに切って食べる楽しさがある。

だから、トンカツ専門店でも、ぼくとしてはトンカツは切らないで出してほしい。

その点、洋食屋系の店は、ナイフ、フォークが用意してあるからトンカツは丸ごと切らないで出す店が多い。

が、そういう店でも、切って出す店もあるから一応用心したほうがいい。

現状としては、切ってないトンカツを食べるにはとりあえず洋食系の店に行くよりほかはない。

切ってないトンカツを食べるために、わざわざ洋食系の店に出かけていき、切ってないトンカツを出してもらいながら、いきなりトンカツ専門店のオヤジ風にタテ六つに切って食べ始めてしまってはミもフタもありませんよ。

甘納豆を労る

甘納豆を食べるとき、なんかこう、甘納豆を労《いたわ》るような気持ちになりませんか。

小豆なんか小さくて、柔らかくて、ぐにゃりとしていて、そしてなんだか頼りなくて、つい、

「オーイ、大丈夫かぁ」

なんて一声、声をかけてから、一粒取りあげてポイと口に入れたりしませんか。

「大丈夫かぁ」なんて言いながら、結局嚙み砕いちゃうわけだけど、嚙み砕くのが痛々しい。ホロリとした柔らかさを労りながら嚙みしめると、ほんの一瞬、表面の砂糖がジャリッとして、最初のひと嚙みで小豆はほとんどつぶれてしまう。

ふた嚙みぐらいで、もう飲みこんでもいいわけなのだが、甘納豆は誰でも一粒を丁寧に味わうようだ。

一粒の隅々まで、嚙むたびに、「いまこうなったナ」「いまああなったナ」と、その姿を思い描く。

たちまちその一帯には、砂糖の甘みと、甘みにひたった小豆の味が漂うわけだが、いかんせん口腔内の大容積に比べると小豆の一粒はあまりに小さい。

この作業は、広大な口腔のほんの片隅で行われているにすぎない。

すなわち口の中が寂しい。

だからといって、甘納豆は、一挙五十粒わしづかみ食いということはしないほうがいい。

口一杯に頬ばっておいしいも

のもあるが、甘納豆は一粒一粒のおいしさを丁寧に味わうものだ。片隅の幸福、小さな幸せを噛みしめるものだ。

甘納豆の歴史は古く、清少納言も枕草子の中で、「甘納豆は一粒でこそ」と言っている。(言ってません)

第一、口一杯に甘納豆を頬ばった口の中を想像してごらんなさい。

その惨状、想像するだけで背筋が寒くなる。

「一粒でこそ」の宿命と「口中の寂寥」、これが甘納豆がかかえる大ジレンマなのだ。

そこで出てくるのが次に述べる秘法である。

この秘法は、甘納豆のかかえる矛盾を一挙に解決してくれるありがたいものだ。

その秘法の名は、〝一粒口中投入後アグアグふた噛み、また一粒追加してアグアグふた噛み、また一粒追加してアグアグふた噛み、合計四粒追加して総計五粒後一挙噛み噛みの秘法〟というものである。

どうです。これなら「一粒でこそ」の戒律を厳守しつつ、かつ、「合計噛み噛み」の喜びも味わえるというものではありませんか。

大体、甘納豆というものは、みんなと一緒に食べるものではないような気がする。

一人でひっそりと食べてこそおいしいもののような気がする。

ひところはやったテレビの大家族ホームドラマでも、センベイやヨウカンやマンジュウを食べるシーンは出てきても、みんなで甘納豆を食べるシーンは出てこなかった。

甘納豆は一人でひっそり、こっそりと食べるものなのだ。一人でこっそり食べるとき、
甘納豆をいっそうおいしく食べる食べ方がある。

まず、左の手のヒラのまん中に、甘納豆を一粒置いてください。

あくまでまん中でなくてはなりません。そうしたら、手と口の両方を接近させていってください。

と同時に、手のヒラをタテにすぼめていってください。

そうして、唇が手のヒラに付くか付かないかという瀬戸際で、口をすぼめて甘納豆を吸い込む。吸い込んだあと、唇は勢い余って手のヒラに吸いつき、それを引き離したときホポッという音が出るんですね。
この〝ホポ付きの吸いつき食い〟がおいしい。ホポッという音が、一人食いの寂しさをいっそう引きたてる。
全体的に貧乏くさい姿勢と、ホポッという寂しい音が、甘納豆をよりいっそうおいしくしてくれる。

珍しいものでは
ピーナッツ、大豆、ハス
の実の甘納豆あり
ピーナツ
ハス
大豆
大きさの比較→

さっきの〝五粒連続食い〟を、この〝ホポ付き吸いつき食い〟で食べると、甘納豆のおいしさはいっそう増すはず。

甘納豆は和菓子である。このことに異論はあるまい。同じ和菓子のマンジュウやヨーカンやセンベイは客に出せる。だが甘納豆は客に出せない。

出せないということはないが、どの家でもまず出さない。

まして、見合いの席なんかに出てくることはまずないだろう。見合いの席で、二人向かい合って、ホポッ、ホポッと食べているところを想像するとおかしい。

お互いが貧乏くさく見えて、この見合いは必ずこわれる。

仕事が一段落して、少しホッとしてお茶など淹《い》れて、さてなんか甘いもんないかなと思って、ウン、そう、ここはどうあっても甘納豆、なんて思うときってありませんか。

ある、ということで話をすすめます。

そこで戸棚をゴソゴソ探すと、都合よく甘納豆が出てくるってことありませんか。ある、ということで話をすすめます。

でもって、甘納豆のフタを取ると、詰め合わせセットになっていて、小豆、青豌豆、隠元豆、大福豆、虎豆などが並んでいる。そしてその中にひときわ大きく、大粒の栗が三つ、なんだかエラソーに並んでいる。

ほかはみんな豆なのに、なんでここに栗がいるのか。豆だからこそ甘納豆というんじゃないのか。

栗のくせにどこが甘納豆なんだよ。

なんだかエラソーに、でかいツラして場ちがいなんだよ。

わたしゃ不愉快ですね。不愉快だけど食べちゃうもんね。栗甘納豆っておいしいんだよねー。大好き。

われは飲みこむブドウのツユ

ブドウを食べていたら、ぼくは急に詩人になりました。
秋は人を詩人にするのです。
秋は誰でも詩人になれるのです。
ブドウは秋の塊。
いざ食べん。ブドウを詩人の心で。
わたしはいま、白い皿の上の一房のブドウを見ているところです。
ブドウの名は巨峰といいます。
ブドウの中の王様、巨峰。
わたしはいまからブドウを食べる。
つと、手を出し、房の中の一粒をもぎとろうとして、房から離れた一粒を見つける。

とりあえず、その一粒をかたづけよう。

房から離れた一粒を目にしながら、それをまずかたづけないであとまわしにする人がこの世にいるだろうか。

房から離れた一粒を目にした人は、とにもかくにもそれをまずかたづける。

房から離れた一粒は、もはやブドウではないのだ。

一種の〝かたづけもの〟と化するのだ。

まずそれをかたづけてから、〝正式の食事〟が始まるわけなのだ。

特に日本の社会では、組織か

ら離れたものに対する目は冷たい。組織からはぐれたもの、組織についていけなかったものに対しては見方がころっと変わる。

房から離れたブドウは、もはやブドウではない。目ざわりだとか、足手まといだとか、邪魔だとか、落ちこぼれたものに対する思いやりなどこれっぽっちもない。

わたしはいま、その一粒を食べおえたところだ。どんな味だったか、どうやって食べたか、ほとんど覚えていない。かたづけものには愛情がもてないからだ。

あらためて、房の中から一粒。

エート、どの粒にしようか。

一房のブドウの粒にはずいぶん大小がある。

最初の一粒は大粒。

とりあえず豊かに実った大粒。この一粒がかわいい。

その一粒をもぎとって左手に持ち、右手の人さし指と親指の先でてっぺんの破れ目をつまみ、下へむいていけば、ああ、皮はスルスルと下のほうへむかれていくよ。

もう一度、同じようにむいていけば、ああ、またしても皮は下のほうへスルスルとむかれていくよ。
ブドウの粒に、皮二筋分の破れ目ができたよ。
その破れ目から、ブドウのツユが一滴、また一滴。
ああ、もったいない。ああ、惜しい。
わたしはあわててその破れ目に唇をあてて吸いつくよ。
吸いつけば、ああ、わが口中に香《かぐわ》しきブドウのツユはほとばしるよ。
巨峰のツユは甘いよ。
甘い甘い、天然の果汁だよ。
吸いついて手を離せば、濡れそぼった果肉はわが口中に落ちるよ。
その大きな水の果肉をグシャと圧すれば、口の中は果汁の洪水。
ブドウのツユは甘いよ。
甘くてほんの少し渋くて、そしてちょっぴり鉄の味がするよ。
これが、これがブドウの味だよ。
巨峰のワンパックは高いよ。
とても、とても高いよー。
安いのもあるけど、この巨峰は七百三十円だよ。
もっと高いのなんか、いい箱に入っているせいもあるけど、一箱三千円だよー。

五十粒で三千円だよ。

一粒六十円だよー。

なんだか疲れてきた。

詩人に疲れてきた。

詩人というものはもともと疲れるものなんです。

詩人をやめて普通に戻ります。

大体、手作業で食べるものはあとをひくものだ。

一粒一粒、一個一個手作業でむいて食べるものはどういうわけかあとをひく。

ピーナツもそうだし、天津甘栗もそうだし、枝豆なんかもそうだ。

三つ、四つ食べてやめるということはできない。

五つが六つになり、六つが十になり、結局のところ目の前にあるものがなくなるまで食べてしまうことになる。

ブドウも一粒一粒、手作業でむいて食べる。したがってあとを引く。

巨峰は値段が高い。

とてもとても高いよー。

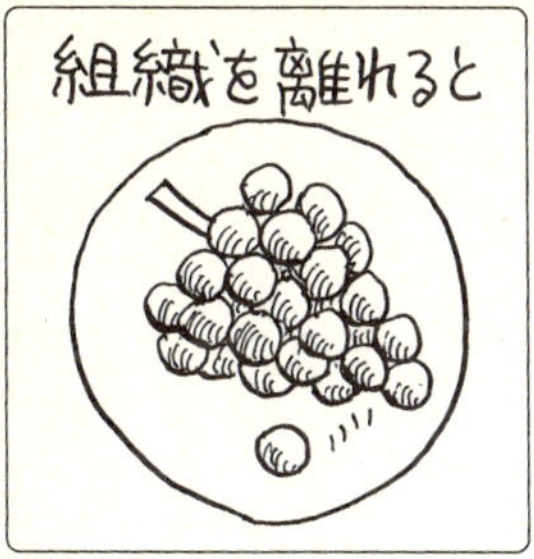

巨峰を食べて泣いたよ。

ワンパック食べてしまって泣いたよ。

とてもとても高かったからだよー。

詩人は疲れるが、誰でも一度はなってみたいと思うものだ。

憧れの対象だから、一度やるとやみつきになる。

ブドウの味。

それは真夏の陽ざしの中のむせかえるようなブドウの葉の匂いの名残。

それはひっそりとした秋の気配の中の枯れたツタと葉の中の果実の香り。

実というにはあまりに柔らかく、あまりに実体のない透明な果肉は、一刻も早く果汁の姿になりたがっているようだ。

いま、歯は種をおそれ、その所在をおそるおそる窺《うかが》う。

やがて歯は種をさぐりあて、舌はその処理を施し、口中の仕組みはいま一挙に水の果肉を圧搾せんとす。

口中の仕組みはいま水の果肉を圧し、おびただしき果汁口の中にあふれたり。

スイカほど淡泊ではなく、桃ほど濃密ではなく、ある種の重さを宿したその果汁いまわが舌をひたしたり。

堪えがたければわれは飲みこむブドウの果汁。
ブドウのツユの、などかくはおいしき。

重さが値段の店

外で食事をするとき、店の外のサンプルケースを見ながらどんなことを考えていますか。

まず値段。自分の懐との相談ですね。

それからダイエットしてる人ならカロリー。カツ丼食べたいけどカロリーがちょっとね、なんて考えてる。

糖尿気味の人なら、糖分、塩分のことを考えてる。

それから時間。急いでいるときはすぐ出来るものをたのむ。

「ちょっと急いでるんで鍋焼きうどんおねがいします」なんて人はいません。

ざっと、まあ、そんなところでしょうか。

「この塩鮭一切れ何グラムあるだろうか」とか、「この目玉焼き一個の重さどのぐらい

だろう」とか、「このキュウリの漬物一切れ何グラムかな」なんてことを、サンプルケース見ながら考えてる人なんていませんよね。

いまから自分が食べようとしているものの重さが気になる人なんていませんよね。

ところがいるんです。これから自分が食べるものの重さを、いちいち気にしている人々がいるんです。

また、そういうことを客に気にさせる店があるんです。

この店は、すべてのメニューの値段を重さで決める。重さだけで決める。重さ以外の要素を一切取り入れない。

待て、待て、それは一体どういうことだ、と、いままで横になって片ひじついて、いい加減な気持ちで読んでいたあなた、そうです、いまから真剣に読んでください。そうでないと授業においていかれますよ。

順序を追ってお話ししましょう。

その店は池袋にあって、西武デパートの前をちょっと入った裏通りにある「酒寮信濃路」という店。

この店は、本来は居酒屋なのだが、ランチタイムだけこういうシステムの営業をしている。

入口のところに「ランチタイムサービス・好きな料理を好きなだけ・どれでも一〇〇g二二〇円・コーヒーサービス付き・品数豊富でバランス栄養食・七七七円になれば無料・お気軽にお入りください・おかげさまでテレビで紹介されました・テレビ東京・クイズところ変われば・毎週金曜日夜八時」と、いろんなことが書いてある。

「わかった。そういうふざけた店なんだ」とつぶやいて再び横になったあなた、いいです、しばらくは横になっていい加減な気持ちで読んでいてください。

とりあえず〝お気軽に〟店の中に入っていきましょう。

なんだかすごく広くて大きい店で、カウンターあり、小あがりだけの部屋あり、テー

寅さんいわく
♪目オご男が
売れるなら
こぉんーな苦労は
こぉんーな苦労は
かけまいに
かぁけーえまあいーに"

ブル席の部屋ありの三部構成になっていて、それぞれの部屋一つが、ちょっとした店一軒分はある。約百五十人は収容できそうだ。

一番奥のテーブル席の部屋の一角がビュッフェ形式のパーティー風に構成されている。まっ白なテーブルクロスの上に大皿、銀皿、猫足風足付き銀皿などが並び、パーティーの雰囲気を盛りあげている。

居酒屋ではあるが、あくまで本格を目ざそうとしているもののようだ。

ここで直径二十五センチぐらいの皿に好きなだけ料理を盛りつけ、次に重さを計ってくれる係の人のところへ行く。重さ係の人は、ワイシャツにネクタイをきちんとしめた、区役所の係長風厳粛の人なので、皿を持って並んでいる人は少し緊張し、計っていただく、といったような気持ちになる。

係長の前には昔風の手提げ金庫が置かれており、区役所的雰囲気をかもしだしている。

〃ビュッフェと区役所〃というのがこの店のコンセプトらしい。

客は係長の前に進み出て、手提げ金庫の手前に置かれた台バカリに皿をのせて計っていただく。

係長はハカリの数字を見て「六八〇円」とか「七二〇円」とか告示する。
どうやらどの客も八百円を超えないようだ。
十七種類の料理はどんなものか。
■天ぷら（かき揚げ）■麻婆豆腐■水餃子■ナス挽き肉炒め■ウィンナ炒め■マカロニサラダ■ひじき■ホウレン草おひたし■かに玉（風）■肉と茸の炒めもの■塩鮭■トマト■タコとワカメ酢■納豆■目玉焼き■漬物などなど。
これらの中から、何をどのくらい取って皿に並べていくか。これが意外にむずかしい。

ここでは、これまでの人生で培ってきた、外食における価格体系、価値体系というものがまるで役に立たない。

ここでは、とにかく〝軽いもの〟が重視される。軽ければ軽いほど合計の値段は安くなる。したがってたくさんの量を皿の上に並べることができる。ということは〝水気の少ないもの〟ということになる。
しかし水気さえ少なければいいというわけにはいかない。水気は少ないが、もともと値段の安いものはいけない。
〝水気が少なくて値段の高いもの〟に目標はしぼられてくる。
一番いけないのは〝濡れていて安いもの〟である。ホウレン草おひたしがこれに該当する。しかしホウレン草おひたしは、栄養バランス的には是非取りあげたいものである。

ぼくはお新香が好きなので、タクアンを三切れ取り、すぐに二切れを戻した。タクアンは〝濡れて安いもの〟の代表だからだ。

さらに〝値段が高くて濡れているもの〟の処遇をどうするか。そういうもので、どうしても食べたいものもある。

さらに〝油を含んでいるもの〟の問題もある。〝油を含んで値段の高いもの〟はどう考えたらいいのか。

これまでの価値体系が突然崩壊した客の頭は、千々に乱れるばかりなのであった。

エ？　スープかけ炒飯？

「台無し」……。

いやな言葉ですね。

【台無し】　物事がすっかりだめになること。（大辞林）

不幸と隣り合わせの言葉です。

用例としては、

「これまでの努力がすっかり台無しだ」

とか、

「オレの厚意を台無しにするのか」

というふうに、そういう現場に立ち会いたくない言葉であるわけです。

具体的な例を考えてみましょう。

たとえば炒飯《チャーハン》。

炒飯は誰でも作れるが奥が深い。素人がゆうべの残りゴハンに、炒飯の素をふりかけて炒めたものも炒飯だし、プロが、その実力のすべてをかけて挑戦するのもまた炒飯なのです。いまでは超有名な周富徳氏も、最初は〝幻の炒飯名人〟としてスタートしたのでした。

話をもっと具体的にするために、炒飯の製作現場に足を踏みいれてみることにしましょう。

いま、一軒の町の中華料理屋のカウンターの中で、炒飯が作られているところです。

話をもっと具体的にするために、作っている人は、エート、そうですね、俳優の田中邦衛サンにご登場を願いましょう。

邦衛サンは、いつものように下唇を突きだしかげんにして、いま炒飯を作り始めたところです。

邦衛サンは、強火でカンカンになった中華鍋に、たっぷりの油をジャーと入れ、鍋肌にまわし、そこへ軽く溶いた卵をジャッと入れる。軽くかきまわし、それを片寄せ、一人前のゴハンを入れる。ゴハンのカタマリの一つ一つを、鉄のお玉の底で押さえてはくずす。

強火のガスの炎がボウボウ。中華鍋に当たるお玉の音がカチャカチャ。ゴハンに油が

しみこむ音がジュウジュッ。
なにしろ無口、誠実、不器用で鳴る邦衛サンのことですから、炒飯一つ作るのにも一切手を抜かない。思いつめたような目は鍋の中身から片時も離れない。
カウンターにすわって炒飯ができあがるのを待っている客は、突然ではありますが元巨人軍の原辰徳サンということにさせてもらいます。真面目な辰徳サンは、アゴの下で両手を組み、前かがみになってその製作過程を熱心に見守っている。
「そうなんですね。炒飯というものは、こういうふうに誠実に作られるべきものなんですね。

ああして鍋の中身を空中に放りあげ、ゴハンの一粒一粒から水分を除き、除くと同時に油をしみこませ、かつ、一粒一粒の表面に卵をまぶしつけるわけなんですね、ええ。一見何気ないような動作の中に、長年培った職人のワザというものがあるわけで、わたしはいまそのワザを目のあたりにして、感激のあまり言葉もありません」

なんて、いまは解説者だから、解説するクセがついてしまった辰徳サンは、そんなことを考えているわけです。

炒飯というものは、まさに、ゴハンの一粒一粒から、いかに、どのくらい水分を取り去るか、取り去ってパラリとさせるか、そのあたりが職人のワザということになるわけです。

邦衛サンは、いまようやく炒飯を作り終え、皿の上にコンモリと盛りあげ、次にスープを小鉢に入れ、ザーサイの小皿と共にアルミのお盆にのせて、

「おまっとさんしたー」

と例の声と例の上目づかいで辰徳サンに渡すわけです。

お盆を受けとった辰徳サンは、何を思ったか、お盆の上のスープを、いきなり全部、炒飯の上からかけてしまったのです。いや、邦衛サンの驚くまいことか。怒るまいことか。

邦衛サンが、ゴハンの一粒一粒から苦心惨澹して抜いた水分が、いまスープによって

ビタビタにしみこもうとしている。

邦衛サンのこれまでの努力は一体何だったのか。

台無し。まさに台無し。

もともと不器用で口数の少ない邦衛サンは、怒りのあまり顔をまっ赤にし、口をパクパクさせて辰徳サンの顔のあたりを人さし指で突くようにするばかりです。

辰徳サンには辰徳さんなりのちゃんとしたワケがある。

チャーハンは
パラリ
カラリが
おいしい
のよー

ＪＲの有楽町駅のそば、線路ぞいのところに「広東料理・慶楽」という店がある。この店は内臓料理とお粥の店として有名で、そのメニューの一つに「上湯炒飯」というものがあるのです。

　これはまずふつうの炒飯を作り、できあがった上から熱いスープをかけたものだ。そのことは、炒飯と上湯炒飯の両方を取って食べてみるとすぐわかる。スープは、炒飯が水没するほどの量で、あっさりしていて塩気もうすい。炒飯についてくるスープともちょっと違う味だ。

　上湯炒飯をレンゲですくって食べてみると、うすい味のスープの中で、炒飯の塩気は失われていない。

その微妙な味を味わう料理であるようだ。油ぎった炒飯が、うすいスープの中で安らいでいる。もともと炒飯にはスープがつきもので、炒飯を口に入れたあとすぐスープを飲んだりするが、あのときの味だ。

この上湯炒飯は、「慶楽」ばかりでなく新宿の台湾料理の店のメニューにもある。

辰徳サンは数日前、「慶楽」でこの料理を食べたので、この店でそれを再現してみたかったのだ。

邦衛サンの怒りに対し、辰徳サンはそのことを逐一説明しようと思うのだが、なにしろ語彙の少ない人として知られる辰徳サンのことゆえ、言葉がなかなか出てこない。

語彙不足の辰徳サン対無口の邦衛サンの、この〝無言の息づまる対決〟は、息づまる無言のまま、いつまでも続くのであった。

松たけそば二五〇〇円

南青山一丁目の蕎麦の名店「くろ麦」に、鴨南ばんでも食べようと思って入ったら、壁に「松たけそば」という貼り紙があった。店内のあちこちに、合計四枚貼ってあった。

そういうものがあるということは知っていたが、まだ一度も食べたことがない。せっかくのチャンスだから食べてみようか、と思いながら、その貼り紙をじーっと見ていたのだが、松たけそばの五文字がスラッと読めない。

松たけ、で一回切り、それからそばと続けることになる。

きつねそばとかたぬきそばならスラッと読める。天ぷらそばだって、スラッと区切らずに読める。

松たけの威厳というか威光というか、そういうものがスラッと読ませないのだ。松たけとそばではあまりに身分が違いすぎる。

松たけが、そばとの同席を拒んでいるのだ。松たけとそばの間にスキマ風が吹いているのだ。

もともと蕎麦屋というものは大衆的なものだ。

いわゆるタネ物だって、油揚げ、天かすから始まって、カマボコ、卵、鶏肉、うんと頑張っても鴨肉、エビの天ぷらどまりだ。

課長どまりとか、せいぜい部長どまりの世界に、いきなり超大物の会長クラス、松たけ様がやってきたのだ。

しかし、せっかくのチャンスだから食ってみたいな。

急いでメニューを拡げて見る

と「松たけそば　二五〇〇円」とある。

蕎麦屋というものは、せいぜい千円どまりの世界だ。蕎麦屋で二千五百円散財する人はめったにいまい。

だいたいね、松たけなんてものは、高級和食の店とか、料亭とか、そういうところにしきりに出没するものであって、こういう蕎麦屋なんかに出没しちゃいかんよ、けしからんよ。

だけど、せっかくだから食ってみたいな。

この店は、地下鉄青山一丁目駅があるビルの地下に通じていて、近隣に勤めるサラリーマンとかOLがよく利用する店なのだ。そして、どういうわけかいつ行っても女性客が多い。この日は夕方六時過ぎでほとんど満員だったが、その七割が女性だった。

ぼくの相席の二人もOLだ。

ここで二千五百円の松たけそばを注文すれば、

「アラ、大会社の重役かしら」

と尊敬されるかもしれない。

すなわち松たけそば注文。

松たけそば来る。

丼の上に、身長約六センチ、厚さ一ミリ強に切られた松たけがズラリと並んでいる。

このズラリ感がいい。

一枚、二枚、三枚……総計八枚、横一列ずらし並べ。

豪華とはこういうことを言うのではないか。松たけ様が団体で押し寄せてきたのだ。

厚さ一ミリ強のものが八枚ということは、と、つい、一枚の上にもう一枚、その上にもう一枚、と重ねていってみたら、全部でちょうど一本分の松たけとなった。両はじの部分もちゃんと二枚あって、一本分であることを証明している。

しかし、せっかく切った松たけを重ね合わせたりしちゃいけないな。重ね合わせて確認したりしちゃいけないいな。しかも蕎麦屋の丼の中でそんなことしちゃいけないいな。しかも重役がそんなことをしちゃいけないいな。

もう一度丼の中を眺める。横一列八枚ずらし並べ。しみじみ嬉しい。松たけが団体で押し寄せてきているというところがつくづく嬉しい。

だがよく考えてみると、これはもともと一本分だ。団体ではなく個人ではないか。

でも、一個人がバラバラになってまで団体になってくれているところが嬉しい。

われわれはふだん、このように大量に展開した松たけを一どきに目にすることはめったにない。

土びん蒸しの中の松たけはせいぜい二枚か三枚。松たけのお吸いものはせいぜい一枚か二枚。

それが八枚一挙独占展開。目の保養とはこのことをいうのではないか。

どうも松たけ（八枚！）にばかりこだわっているようだが、丼の中には、松たけ（八枚！）のほかに鶏のササミの小さめの肉片が二枚。それとユズの皮の細片多数。

ズズズーとツユを一口。

ウーム、大変なユズの香り。ユズの香りに圧倒されて、松たけ様の香りが香ってこない。

ユズの分際で松たけ様を圧倒するとは何事か。

ツユをすすって、蕎麦を一口すすってから、いよいよ松たけ様を一枚。

シャキ、シャキ、シャキ……。

松たけはやはりこの食感だ。

シメジにシャキシャキシャキができるか。

シイタケにシャキシャキシャキができるか。

ズルッ、ズーズズズ、シャキシャキシャキ。ズルッ、ズーズズズ、シャキシャキシャキ、プーン（ユズの香り）。

一枚で十シャキはいける。

八枚だから八十シャキ。

待てよ、と思った。

待てよ、と思って急いでまたメニューを拡げてかけそばの値段のところを見た。「かけそば　七五〇円」とある。

かけそばが七百五十円ということは、二五〇〇円ヒク七五〇円＝一七五〇円＝松たけの値段ということになる。実際にはササミ小②とユズがあるから、これらの値段を、エート、ま、四百円と考えると、松たけの値段は千三百五十円ということになる。

すなわち、一シャキ約十七円。
しかし、松たけそば食ってそんな計算しちゃいけないな。しかも重役がそんな計算しちゃいけないな。

定食屋でビールを

夕方の七時ごろ、一日の仕事が終わって、さて、今夜は何を食べようか、と思ったとたんサンマが浮上してきた。

うん、まずサンマ。サンマの塩焼き。

プチプチ、ジュウジュウ脂のはぜるアツアツのサンマ。

サンマの塩焼きとなれば当然ゴハン。白いアツアツのゴハン。

ま、いきなりゴハンというのもなんだから、当然、その前にビールだな。

ビール一本きりというのもなんだから、そのあと熱カンも一本ということになるな。

ということになると、サンマ一匹ではとてももたないから、当然もう一品ということになるな……。

肉豆腐なんてのはどうだ。

サンマ、肉豆腐、と続いたあとは、少しさっぱりしたものがいいな。うん、ホウレン草のおひたし。おかかたっぷし……。

というふうに考えていくと、これは当然定食屋ということになるな。

居酒屋でもいいけど、居酒屋で白いゴハンというのもなんだし……。

結果、足は定食屋に向かった。

定食屋というものは、近年、次々に姿を消しつつある。おや、この定食屋、店を閉めちゃったな、と思っていると、そのあとがいつのまにか「てんや」とか「ミスタードーナツ」とか「モスバーガー」になっていたりする。

こういう現象はとても寂しい。どこの駅のどの店も、その店に入る前から味が予測できるというのは寂しい。

その点定食屋は一軒一軒味が違う。サンマの焼き方だって一軒一軒違う。

定食屋が年々姿を消していくなかで、わが西荻窪だけは定食屋の豊作地帯だ。わが仕事場から歩いていける範囲で、たちどころに五軒の定食屋を数えあげることができる。

そのうちの一軒の、白いノレンを押して入って行った。

とにもかくにも、まずサンマ。

黒板に書いてあるメニューを見ると、本日のサンマ定食は「サンマ開き定食　六五〇円」となっている。

ぼくは開きじゃないほうのサンマを食べたいのだ。

注文を取りにきたオバチャンに、そのことを説明しようとするのだが、開きじゃないほうのサンマを説明するのは意外にむずかしい。つい、あせって、

「あの、ホラ、こう、丸いほうのサンマというか、本格的のほうのサンマはないんですか」

と訊くと、ホンカクテキ、と首をかしげ、すぐにああとうなずき、

「きょうは開きだけなんですよ」

と言うのだった。

そうか、ことしはサンマが高いのであった。つい先日、新宿のデパートで見たサンマは、一匹四百五十円の値がついていた。サンマは開きで我慢することにしよう。

「それと、肉豆腐とホウレン草」

「ホウレン草は、おひたしとゴマ和えがあるんですが」

ゴマ和えはまるで予想してなかったので、ここでもあわてた。

「ゴマで和えてないほうのおひたし」

「つまり、おひたしですね」

どうも意思の疎通がうまくいかない。

客はおよそ十人。七人がネクタイをしめた若いサラリーマンで、中年のネクタイが一人。この時間に定食屋で一人メシを食っているということは単身赴任だろうか。あとは中年の男女一組。

この時間帯の定食屋には独得の雰囲気がある。昼間の定食屋は、メシを食う人々のそれなりの活気があるものなのだが、夕方の七時の定食屋はひっそりしている。十人も客がいるのに妙に静まりかえっている。そして、誰もが食べ方に力がない。夕方の七時に、他の飲食店で飲食している人々とはっきり人種が違う。〝午後七時の定食屋の人々〟という感じがある。あしたの午後七時にも、ほぼ同じメンバーがこの店に集まり、ひっそりと食事をしているにちがいない。

食事に専念している人は一人もいない。テレビを見ながら食べている人が半分、自前の持ちこみの夕刊紙を読んでいる人が三人、店の備えつけの週刊誌を読みふけっている人が二人。

店主も同様に料理に専念していない。テレビに専念しながら料理を作っている。

一流の天ぷら屋の主人は、素材からどのぐらい水分が失われたかに目を凝らし、油の温度の上がりぐあいに耳をすますというが、ここの主人はアジのフライを揚げながら、目も耳もテレビのほうに凝らしている。

定食屋での夕食を
終えて今出てきた
ばかりの単身赴任の
おとうさん

凝らしてはいるが、時間で揚がり具合がわかるのだ。そしてまた、時間で揚げたアジのフライがうまいのだ。それが定食屋の味なのだ。

「サンマ開き定食、肉豆腐、ホウレン草つき」来る。ビールもいっしょに来る。

サンマの開きには大根おろしがたっぷり添えられている。大根おろしに醤油をたっぷりかけ、そいつで口の中を塩っぱくしてからビールをゴクゴク。

改めて見回してみると、ビールを飲みながら食事

をしている人が三人いる。だが三人とも、とても真面目にビールを飲んでいる。居酒屋での飲み方とまるで違う真面目な飲み方なのだ。

そうなのだ。夕方の定食屋の店内を支配しているのは〝真面目〟なのだ。

この時間、新宿や渋谷や六本木などの繁華街では、きっと賑やかで華やかな夕食がくりひろげられているにちがいない。

ここにいる人々が真面目であることは、カツライスとホウレン草とか、アジフライと納豆とホウレン草とか、メニューの中に必ずホウレン草をおりこむことでもよくわかる。

みんな栄養のバランスを気にする人たちなのだ。

ぼくはなんだか気がひけて、熱カンの予定を変更して店を出た。

民衆の敵カニクリームコロッケ

どうもなんだかよくわけのわからない食べ物に、クリームコロッケがある。
なんなんですか、あれはいったい。
どうしろっていうんですか、あれをいったい。
メシのおかずのつもりでいるのか、おまえは。え？
認めんぞ、おじさんは。
ビールのツマミのつもりなのか。
それも認めんぞ。
パンといっしょに食べてください、とでも言ってるわけ？
食いたくねーんだよ、パンなんかといっしょに。
了見がわからないんだよ、了見が。

おじさんはクリームコロッケを敵視するが
おばさんは愛好する
このグチャがいーのよね
S
P

もちろん定食屋なんかには姿を現さず、ちょっと高級な洋食店の白い皿の上に、たいてい二個、こぎれいに並べられて、毛色の変わったソースを下に敷き、パセリなんかちょこっと頭にのっけて小首をかしげたりしている。

気取るんじゃねえ。

一個八十円の平べったいコロッケと同じ身分でありながら、

「もう、キミたちとはいっしょに遊ばないもんねー」

と言ってやがるのだ。

「もう、トンカツソースなんかともつきあわないもんねー」

と言ってやがるのだ。

「ぼくたちって俵型に高く立ちあがっているから、平べったいキミたちとは話が合わないんだよねー」

とも言ってやがるのだ。

「いまは、ナイフ君とフォーク君とつきあっているから、ハシ君、わるいけど話しかけないでね」

とまで言ってやがるのだ。

おじさんはくやしい。

なんだか自分が平べったいコロッケになったような気がする。

その昔、おじさんが高校生で電車で通学していたころ、たぶん学習院だと思うが、ボタンのない独得の制服と、おそろいの帽子、おそろいの革カバン、おそろいの革靴で電車の中を駆けまわっている小学生の一団がいたが、おじさんは彼らを見るとわけもなくくやしかった。

足ばらいをかけてころがしてやりたかった。

あの思いに似たものを、おじさんはクリームコロッケに感じる。

ハシじゃなくてナイフとフォークで食えと言うから、おじさんは仕方なくナイフとフォークでクリームコロッケに立ち向かう。

だいたい小さいんですね、高級洋食店のクリームコロッケというものは。

特にカニクリームコロッケとなると更に小ぶりになる。

「ああ、この小さいカニクリームコロッケ二個で、どうやって一皿のライスをまかなっていったらいいのか」

と暗澹とした気持ちになり、せめてウスターソースをビタビタにかけて、と思ってテーブルの上を見回せば、もちろん高級店にそんなものは置いてない。

二個の小さなカニクリームコロッケは、ヒソと肩を寄せ合って、身分のちがう野卑なおじさんの攻撃を前にして身をふるわせている。

クリームコロッケ丼というのはどうか
グチャグチャにつぶして食べる
マジー

小さめのパン粉を身にまとい、いかにもカリッと硬そうに揚がっているカニクリームコロッケは、くやしいけどウマそうだ。さすが高級店の名に恥じず、小さいながらもそれなりの威厳に満ちている。くやしいけれど、それは認めてやらないわけにはいかない。いかにも意味ありげなその厚みは、その中に何かを期待させるものがある。

少し緊張してナイフとフォークをかまえ、まずフォークのほうでコロッケの左はじを押さえると、アレ？　フォークはグニャリとコロッケにめりこみ、グチャリとつぶれ、押さえたはずが、押さえるもなにも、フォークの先は皿に着地していて、こういう状態を〃押さえる〃って言うか？　と悩みつつ、しかし、まあ、いま自分はこうして押さえているのだから、押さえているって言っていいんだよな、と自分を納得させつつ、今度はナイフのほうで右はじのほうを切り取りにかかる。

ナイフというものは、物を切るための道具である。切って切断するために用いる。しかし いま、クリームコロッケの内部にめりこみつつあるナイフは、これ、切っているという状態か？　ナイフを当てたら〃崩れた〃と言ったほうが正確ではないのか。

それにしても、あの端正な形を誇ったカニクリームコロッケが、すでにこの段階で、早くも原型をとどめぬほどにグチャグチャに崩れてしまっているのだ。

まだ左はじをフォークで押さえ、右はじに一太刀あびせただけなのだ。

右はじをナイフで切りこみ、切り離そうと試みる。

しかし、切った部分の中のドロリとしたものが、大量にナイフにべったりとくっついており、自分では切断したつもりなのだが、どの部分が〃切〃でどの部分が〃断〃なのか、大混乱の様相を呈しているのだ。

コロッケ本人も、どうやら自分は切られたとは思っていないようだ。

切られる、という状態を、よく理解していないらしいのだ。

こっちはちゃんと切っているのに、対応がなってないじゃないか。失礼な奴だ。

どんなものでもナイフで切れば、そこにおのずと切り口というものができる。ステーキしかり、トンカツしかり、プリンだってそれなりの切り口ができる。

だけど、これ、切り口って言えるか。

なんなんだ、このグジャッとメチャメチャに崩れた断裂は。

でもって、その崩れたカタマリを口に入れれば、丁寧につくったベシャメルソースの味は確かにウマいが、ただ口の中をヌメヌメとヌメるばかり。

ほんとにワケのわかんない奴ですね。

チャーシューメンの誇り

チャーシューメンは豊かさに満ちている。と同時に誇りに満ちている。
ラーメン屋のカウンターで三人の客がラーメンをすすっている。
そこへもう一人の客が入ってくる。
客はゆっくりと言い放つ。
「チャーシューメン」
一瞬、三人の手が止まる。
止まりはしたものの、三人は何事もなかったように再びラーメンをすすり始める。
チャーシューメンが出来あがり、客の前にトンと置かれる。
そのとき、ほとんどいっせいに、三人はチャーシューメンの丼を横目でチラと見る。
必ず見る。いつか必ず見る。

見たあと、三人は少しやるせないような態度になって再びラーメンにとりかかる。一口、二口食べたあと、今度はそのチャーシューメン男の顔を横目でチラと見る。

必ず見る。いつか必ず見る。

どんな男だ？

見たあと、フーン、という顔になり、ナーンダ、という顔になり、ヤッパリナ、という顔になる。

ヤッパリナ、にラーメン男たちのいろんな思いが込められているのだ。

チャーシューメン男は、三人の〝チラ〟を十分意識している。意識して、ワリーナ、という表情で応える。もっと過激な男の場合は、ドーダ、あるいは、マイッタカ、と応じる。

チャーシューメン男は、店に入ってくるときから誇りに満ちている。

「きょうはチャーシューメンなんだかんな」

「いつもとちがうオレなんだかんな」

という「かんな感」にあふれて店に入ってくる。

経験豊かな店主は、店に入ってくる時点で、「このヒトはチャーシューメンのヒトだな」とすぐわかるという。

目の輝き、胸の反り具合、ノレンを押す力の入れ具合、たけり具合ですぐわかるとい

う。

チャーシューメン男が〝ドーダ〟的態度であるにもかかわらず、三人のラーメン男たちの評価は低い。

「ナーンダ、チャーシューメン男か」

と、かえって見下している。さっきの〝チラ〟にはその思いが込められていたのだ。

大体ね、チャーシューメンなんてものは邪道なの。食べていてもチャーシューのことばっかり気になって気が気じゃないの。チャーシューが多すぎれば多すぎたで、早くどんどん片付けなくちゃ、と気が気じゃないし、中盤であと三枚なんてことになると、少しペース早すぎたな、とハゲシク後悔して、一枚取りあげて少し考え、丼に戻し、戻したのをまた取りあげてまた戻したりして悩んだりしている奴もいるし、始めから終わりまでチャーシューの枚数を数えてばっかり。

と、再度横目でチラチラと、そういうサインをチャーシューメン男に送っているのだが、もちろんチャーシューメン男はそんなことには気づかない。

まず最初にチャーシューの枚数を数える。

チャーシューが六枚という店が多い。八枚だったりすると、思わず店主の顔を見上げ、

「そういうヒトだったんですね」

と尊敬の目になる。

ところがよく見ると、たくさん並べた感じを出すために、ラーメンのより薄くしている店もある。

そういう場合も、思わず店主の顔を見上げ、

「そういうヒトだったんですね」

という目になる。

とりあえず、丼の上をびっしりとおおっているチャーシューを箸でかきわけて麺をほじり出してひとすすり。

このときの〝かきわけ感〟もチャーシューメンならではのものだ。

モヤシやワカメをかきわけるときの心理とあきらかにちがう。

チャーシュー様をかきわけるのだ。

ほかでもないチャーシュー様を、邪魔だ邪魔だ、しばらくあっち行ってろ、とかきわけるのだ。

この〝邪魔だ感〟がいい。

麺をひとすすりしたら、いきなりチャーシューを一枚ムシャムシャいく。

この〝いきなり感〟もこたえられない。〝いきなりムシャムシャ感〟も感動的だ。

八枚の場合は、いきなり一枚食べてもまだあと七枚もある。だいじょぶ。心配ない。

この〝だいじょぶ感〟も心地よい。

だいじょぶ感のあまり、中盤あたりで、連続二枚、などという荒技に挑戦する人もいる。

一挙三枚重ね食い、などという超荒技を試みる人もいる。(いないか)

新宿の小田急デパート(ハルク)の裏に、チャーシューメンで有名な「満来《まんらい》」がある。この店のチャーシューはたったの三枚だ。

真上から見ると確かに三枚なのだが、一枚の、船でいうところの吃水《きっすい》の部分が深い。深く重く、スープの中に沈んでいる。麺は平打ち麺なのだが、チャーシューの重みで麺がつぶれたのかと思うほどだ。

厚さ四センチほどのが一枚。あとの二枚が約一・五センチ。総重量二百五十トン、じゃなかった二百五十グラム。

二百五十グラムというと、ひもでしばったチャーシュー用の豚肉がありますね。あれの大きめのやつの半本分くらいに相当する。

とにかくもう食べても食べてもチャーシュー。嚙んでも嚙んでも嚙んでもチャーシュー。嚙み疲れて呆然としてもチャーシュー。

お店の人の顔を思わず見上げて、

「そういうヒトだったんですね」

とうなずいてまたチャーシューにとりかかる。

大掃除のカステラ

これから暮れにかけて大掃除の季節。ひとしきり、みんなでバタバタと忙しく働いたあと、ここらでお茶にしませんか、ということになって全員お茶の間に集まる。

テーブルの上にお茶とカステラ。

まさにカステラ。

待ってましたカステラ。

大掃除のひとやすみのお茶うけはまさにカステラでなければならない。

せんべい？　あきまへん。

マンジュウ？　とろくさい。

ヨウカン？　場ちがいでんな。

あわただしい肉体労働のあとの、やや荒い息づかいには妙にカステラが合う。少し疲

食べたあと
手についた
カステラを
なめるご婦人

れている体が、ある程度のボリユームと、濃密な甘味を要求しているのだ。

甘いものはちょっと、という男の人でも、カステラにだけは迷わず手を出す。そういうところも大掃除向きだ。

カステラは、フォークで切ったりして食べるとおいしくない。カステラは手づかみ。手で持つとペタペタと手に付くが、それでも手づかみ。

カステラは重さがおいしい。スポンジ状のものは軽いという固定観念を裏切って、カステラは思ったより重い。その、思ったより重い分だけ、そこに濃縮されたカステラの甘みを感じる。

おそるおそる、という感じで上の茶色いところを人さし指と中指で、底の茶色いところを親指でつかみ、左側のカドのところを口に持っていく。

大口を開けて、カドのところをいまパフリとやろうとしているあなた、せっかくのところを恐縮でありますが、そのカステラの厚さどのくらいありますか？　え？　約二センチ？　それはいけません。それでは薄すぎます。

カステラには一番おいしい厚さというものがある。

何センチだと思います？　二センチでもなければ三センチでもない。

二センチ五ミリ、これが正解です。

誰が決めたって？　文明堂が決めました。文明堂から出ている、あの切ってあるカステラ、あれが二センチ五ミリなのです。

カステラは、切るところからすでにおいしいのに、ああして切られてしまってはその分おいしさが減る。

長さ二十六センチ、高さ五センチ、奥行き十センチの箱（千四百円のやつですね）を開け、一番上のペラペラをペラペラとはがす。ここんところからすでにおいしさが始まっている。

でもって箱を押し拡げ、包丁を水で湿らせて刃先を当てる。当てて必ず二ミリか三ミ

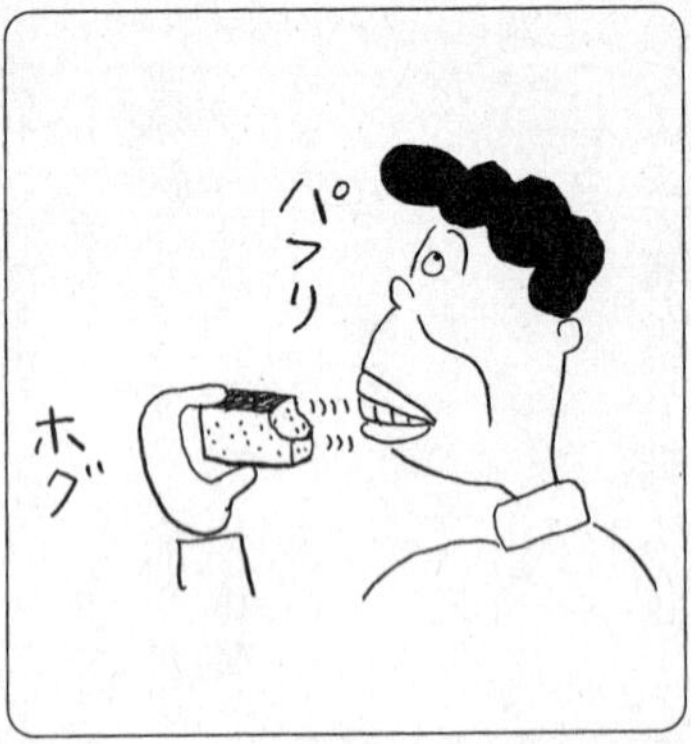

り、右か左に刃先をずらす。ずらさない人はいません。当てていきなり切っちゃうような人とはおつきあいしたくありません。

あ、それから切るのは野菜なんか切る菜切り包丁がいいですね。

カステラはあれで切るのが好き。

富士には月見草が似合い、カステラには菜切り包丁が似合う。

包丁の重さにほんの少し手を貸してやる、という感じでカステラは切れていく。こんなにも、切断と抵抗が心地よく進行していくものが他にあるだろうか。

切ったらその切断面を、ほんの一瞬でいいから見てやってください。

切りたった卵色の断崖。

その頂《いただき》の焦げ茶色の万年雪。

焦げ茶色の焦げ茶という表現は、まさにこの焦げた茶色からきたんだなあ、と思わせる焦げた茶色。

蕎麦は打ちたてがおいしいように、カステラは切りたてがおいしい。切りたての湿った切断面がおいしい。

お待たせしました。

一切れのカステラを右手に持って、左側のカドのところを口に持っていってそのままになっていたあなた、ではどうぞパフリとやってください。

パフリはゆっくり。そしておそるおそる。カステラは常におそるおそるでなければならない。

おそるおそるパフリとやったら、上の歯と下の歯が衝突するまで噛んでけいけません。ある程度噛んだら、手で引っぱってホグと引き離す。パフリとホグ、これがカステラ道の極意なのです。ホグによってカステラのかたまりが口中に転がりこむ。

それを噛んだ瞬間、無慮数千の気泡の中にこもっていたカステラの香気が、圧迫によっていっせいに口の中に放たれる。

「うん、これがカステラだ」

と、第一撃だけでうっとりとなる。

砂糖と卵と小麦粉だけのやりとりが、「どうしてこうなるのっ」と思わず叫びたくなるほどの味と香りに変身している。

（ほんとに叫んじゃいけませんよ）

スポンジ状のかたまりのどこにも、砂糖も卵も小麦粉も感じないが、そのずうっと奥のほうに、砂糖と卵と小麦粉を感じる。

口の中の甘いスポンジのゴムマリ。

どら焼きの皮の部分よりも湿っていて、ショートケーキより硬めの甘いスポンジ。

口の中で押し返してくる甘いふくらみを、いちいち押し返してやるおいしさ。

カステラの弾力は、一度思いきり押しつぶしてみるとわかるが相当のものだ。一センチの厚さにつぶれたものが、たちまちムクムクと立ちあがってくる。

すべての菓子類が甘さひかえめの時代に、思いっきり甘いのも嬉しい。

大抵の食べ物には〝口の中の最盛期〟がある。

せんべいだと、嚙み始めのぼやけた味から次第にせんべいの味になり、そのあと次第に衰退していく。衰退してから飲みこむ。

カステラだけは、その味のクライマックスのときに飲みこむ。

カステラにはなぜか衰退期がないのだ。

餅、おこし、五家宝、らくがん

焼いたお餅にお醬油をつけて食べていて、ふと思いました。お餅の魅力は味が半分、嚙み心地が半分だと。

お餅をウンニャラコ、ウンニャラコとゆっくり嚙んでいると心の中まことに平和。悩みごと少しずつ頭から離れ、かたつむり枝に這い、揚げひばり空に舞い、すべて世はこともなし。

この、よってもって来たるところを探求すると、それは餅の弾力にあることに思い至る。

餅は、口の中でモチモチとはずむ弾力が旨い。ドクター中松のバネのついた靴を、歯に履いているみたいでまことに心地よい。

餅を食べているときは、上の歯と下の歯の間に常に餅が存在していて、上下の歯が直

このご婦人は
いま何を
噛もうと
しているのでしょうか
?

接衝突することがない。

このクッションが心地よい。このクッションが心に平和をもたらす。

ゆっくり噛みしめていると、餅独得の、ほんのちょっと苦いような味がして、それからだんだん甘い米の味になっていき、そこへ醤油の味がからんでくる。まるで、口の中で、醤油をつけ水にしてお餅をついているみたいにからんでくる。

年の暮れになると、各地の幼稚園で餅つきが行われ、つきたての餅を園児たちが、ニコニコと本当に嬉しそうに頰ばってい る画面がテレビのニュースで流れたりする。

　このときの園児たちは、餅の味もさることながら、口の中の柔らかい弾力をオモチャのように楽しんでいるのだ。

　食べ物にはそれぞれの噛み心地というものがある。テクスチュアという表現をする人もいるが、食べ物は味と共にテクスチュアも楽しむものだ。

　テクスチュアは、餅のように柔らかくて、噛み心地がよくて、まったりとしていて、すべて世はこともなしを最上としているわけではない。

フガ
フガ
このご婦人はなぜフガフガしているのでしょうか?

　波乱万丈の噛み心地もまたテクスチュアとして楽しむ。

　たとえばおこし。

　おこしには粟粒が整然と並んだ物静かなものもあるが、ピーナツや大豆を荒々しく砕いてはりつけ、大小様々な空洞を見せている粗暴なものもある。

　この粗暴系のおこしを食べるときの顔つきは、お餅を食べるときの顔つきとまるでちがう。とりあえず、厚さ三センチの粗暴系を、上の歯と下の歯の間にあてがったところを想像してください。

ホラ、もう、すでに顔つきがちがっているでしょう。目が上目づかいになっていて、歯ぐきも少し出ていて、もちろん歯は全面的にむき出しになっていて、眉間のあたりには決意のようなものが浮き出ている。

険しいというか、凶暴というか、そういう顔つきになっている。

ヨウカンなんかだと、口に持っていって歯と歯の間にあてがったとたん、もう噛み始めているものだが、おこしはちがう。そこでいったん休む。

休んで決意を新たにする。

いいか、これから噛むぞ、それでいいんだな、と自分に言いきかせる。

硬くて厚いセンベイの場合も似たような決意表明があるが、センベイの場合は最初のひと噛みでおおかたの勝負がつく。口の中で起こる大きな出来事はこれで終わりで、あとはその後片づけということになる。

おこしの場合は最初のひと噛みのあとも、大小様々な悶着が起こる。

まず最初、かなりの力で噛みしめると、おこしはそれなりにきしんで少しちぢみ、少しはね返してきたところをガリッと噛み砕くと、なにやら粘着度の高いものが歯にしがみついてきて、おっ、これはただごとではすまないぞ、と思いながら口から離そうとすると、ピーナツや大豆や粟やらにからまっている強力な粘着度の水飴が、そうはさせじと歯にはりつき、きしみ、しがみついたりして大騒ぎになる。

騒ぐ連中をようやく引き離し、口の中に収めたあとも、口の中はゴツゴツ、ギシギシ、ガリガリと、口中に平和が訪れるまでにはもうしばらくの時間がかかる。

その間、味わっている、というより、騒動の鎮圧に専念している、という気になる。

餅のモチモチとおこしのゴツゴツ。そのテクスチュアはあまりにちがうが、それぞれ、それなりに楽しい。

おこしについて言及したならば、五家宝についても言及しないわけにはいかない。

五家宝……一体何ですか、あれは。

手に持つとキナコはハラハラと絶えまなくヒザの上に落ち、口に入れればパフパフと口のまわりに漂い、鼻の穴にも侵入してきてフガフガとなる。

でも、最初にパフッと噛みしめて、メリメリ、ミシミシと歯が五家宝にめりこむときの、あの独特の感触はまことに得がたいものがある。あの一瞬にだけ五家宝の存在価値があるのであって、そのあとはただ迷惑なだけだ。
五家宝に言及したからには、らくがんにも言及しないわけにはいかない。
三者は〝仏壇系〟として深い絆で結ばれているからだ。
らくがんもまた、歯にあてがったとき、いいか、これから噛むぞ系の、決意系のお菓子と言える。

らくがんは、歯にあてがって「このぐらいの力で噛めば砕けるな」と思った以上に常に硬い。

つまり、脳当局と歯当局の間に、常に見解の相違があるのだ。両者の見解を調整しなおし、予算と馬力を強化してもう一度噛めば、かなりの振動を脳に与えて今度はカリッと砕ける。

砕けたな、と思った次の瞬間、らくがんは魔法のように口の中から消える。

それにしても昔の人は、変な噛み心地のものばかり好きだったんですね。

キンピラ族の旗手は誰だ

最近、わが身辺が急に不利になってきた。突然という感じで、巨顔が非難され始めたのである。

巨顔なりに、平和に暮らしていたわれわれ巨顔族は、これからは物陰に隠れたり、夜陰にまぎれて行動しなければ生きていけなくなったのである。

朝日新聞社発行の週刊誌「アエラ」が、つい最近「でかい顔は『死ぬっきゃない』」という特集を組んだせいである。

それ以来、女性誌も「大きい顔はこうして小さく見せよう」という特集を組むし、テレビのワイドショーは「顔が小さくなるマッサージ」を指導し始めた。

巨顔の人は大抵エラが張っているからといって「エラ消しメイクの仕方」も指導している。化粧品会社は「顔が小さくなるクリーム」を売り出した。

こうなってくると、たしかに巨顔族は「死ぬっきゃない」ことになる。

発端は安室奈美恵である。

アムロは顔が極端に小さい。小さいところがカッコいい、従ってこれからは小顔の時代だというのだ。そういえばキムタクも顔が小さい。

顔が小さいとそんなにいいのか。

顔が小さいとそんなにいつでも有利か。

まことに突然で恐縮でありますが、居酒屋でキンピラ牛蒡《ごぼう》を食べている人を、ここでちょっと想像してみてください。

顔の大きい人と小さい人と、どっちがキンピラ牛蒡が似合うか。

キムタクとトミーズ雅と、どっちがキンピラ牛蒡が似合うか。

十人が十人、トミーズ雅が似合うというにちがいない。

どうだ、キンピラ牛蒡に関しては巨顔が小顔に勝ったのだ。ザマミロ。(キンピラで勝ってどうする)

トミーズ雅はなぜキンピラ牛蒡が似合うのか。

それはあの巨顔と、大きく張ったエラのせいだ。

なぜエラが張っているとキンピラ牛蒡が似合うのか。

キンピラ牛蒡のおいしさは、あの硬い繊維をバキバキと嚙みしめるところにある。キンピラ牛蒡をバキバキ嚙んでいると、ああ、歯というものは、ときにはこういう硬いものを嚙みしめてみたかったんだなあ、という〝歯のヨロコビ〟みたいなものをつくづく感じる。

キンピラ牛蒡を四、五本、口の中に入れて嚙み始めても、しばらくの間は口の中は繊維だらけで味がしない。

繊維が一応まとまって一つのカタマリになり始めたころ、ようやくキンピラ本来の味がしてくる。牛蒡の繊維と繊維の間の柔らかいところにジットリとしみこんでいた醬油と砂糖と油の味が、嚙みしめるごとににじみ出てくる。

ニンジンだと噛めばあっさりとすぐにじみ出てくる醬油と砂糖と油の味が、牛蒡の場合はジワジワと少しずつにじみ出てくる。

ブナという木は保水力に優れていて、山に降った水をしばらくためこみ、それをあとで少しずつにじみ出させるので山林の治水に大いに役立つといわれている。

キンピラ牛蒡の牛蒡もまた、そうした〝保醬油砂糖油力〟に優れているのだ。だから、噛んでも噛んでもいつまでも味の力が落ちない。

噛んでも噛んでも、日本のおかずの根源の味、醬油と砂糖の味が、油を伴ってにじみ出てくる。

牛蒡の繊維のほうも、噛んでも噛んでも、いつまでたっても、もうこれで飲みこめるという状態に立ち至らない。

すなわち、エラが発達する。

すなわち、エラとキンピラ牛蒡は深い因果関係がある。

トミーズ雅はエラが張っている。

トミーズ雅とキンピラ牛蒡は深い関係にある。

よってトミーズ雅はキンピラ牛蒡が似合う。

という三・五段論法が成立するのである。

すなわちトミーズ雅は巨顔族の希望の星ということになり、巨顔族のシンボルマークは当然キンピラ牛蒡ということになるのだ。（どういうマークだ）

キンピラ牛蒡の切り方の基本形はマッチの軸型である。

しかしキンピラ牛蒡は切り方によって味が微妙に違ってくる。

太いところは太い味、細いところは細い味、平べったいところは平べったい味がする。

太いところから細いところへ移行していくところは移行していく味、だんだん細くなってついにちょん切れてしまったところはちょん切れてしまった味がする。


ぼくは平べったい味がわりに好きなのだが、じゃあ、全部平べったく切ればいいのかというとそうではなく、全体的にはマッチの軸型の中に、ときどき平べったいのがあって、ときどき平べったいのを食べると、これがまた一段とおいしいんですね。大好き。

キンピラ牛蒡にはところどころニンジンが混ざっているの

で、〝キンピラ牛蒡に於ける柿ピー問題〟というものが発生する。柿ピーの〝ピーナッツと柿の種をいかに並行させつつ食べていくかが問題〟と同様の悩みだ。

ぼくの場合は、牛蒡四本を二回続けたのちニンジンを一本、というのが基本方針だ。しかし、この方針を忠実に守っていると、もうなんだか数えてばかりで、目まぐるしくて、エートいま何本食ったっけ、三本だっけ四本だっけ、さっきニンジン一本食ったっけ、と、キンピラ牛蒡を、食べてるんだか、数えてるんだかわからなくなる。

とまれ、われわれ巨顔族は、キンピラ牛蒡をこのように愛好し、シンボルとなし、トミーズ雅を旗手とし、アムラーに対抗してキンピラーを名乗り、団結して迫害に耐えていこうではないか。

佐渡で食べる蕎麦は

先々週、佐渡へ行った。

冬の佐渡もよかったが、佐渡の蕎麦もよかった。

蕎麦もよかったが、食べた蕎麦屋もよかった。

「手打ち蕎麦徳平《とくべい》」という店で、ガイドブックにはこう出ている。

「注文を受けてから蕎麦を打つこだわりの店。最低でも20分は待つことになるが、打ちたてのおいしい蕎麦が味わえる。器はすべて陶芸家であるご主人によるもの。コシのある蕎麦をオリジナルな食器で味わうことができる」

ウーム、そうすっと、なんだな、気むずかしそうな主人が、気むずかしそうに打った気むずかしい蕎麦を、気むずかしい顔をした客が気むずかしそうに食べる気むずかしい蕎麦屋だな、と、これを読んだ人は思うにちがいない。

　だいたい蕎麦屋というものは、名店になるほど気むずかし指数が高くなる傾向にある。
　まして、この店は主人が陶器を焼く芸術家だ。
　以前、ぼくは名店の主人たちが提唱する蕎麦の食べ方を調べてみたことがあるが、議論百出、百家争鳴、喧々囂々《けんけんごうごう》、読んだあとは周章狼狽、茫然自失の状態となった。
　ある主人はワサビはツユに溶かすな、と言い、ある主人は溶かすのが正しい（虎ノ門・巴町砂場主人）と言い、いえ、蕎麦の上に直接のせろ、と言う人がいるかと思うと、ワサビは直接口に含んだほうがいい（田無・ほしの）という人までいる。

蕎麦は打ちたてがおいしいから一刻も早く食え、という人がいるかと思うと、いえ、一、二分、わざとおいてから食べてください、という人もいる。

どうもなんだか「徳平」は、そっち系の蕎麦屋のような気がする。

と思いつつ、恐る恐る出かけて行った。

佐渡の金山に近い西側の海岸べりにポツンと建っているひなびた店で、店の入口には主人が焼いたらしい陶器がずらりと並べられている。

入口を入るとすぐのところに五人ばかりすわれるカウンターがあって、そのうしろが座敷で三十人は収容できそうだ。ちょうど昼食どきだったので、すでに二十人ほどの客がいたが、ほとんど地元の人のようだ。

ちょうどカウンターがあいていたのでそこにすわると、目の前が厨房で、その全貌が丸見えだ。

厨房には、徳平さんらしい老人と、その妻らしい人と、メガネをかけた徳平さんの息子らしい人と、その妻らしいきれいな人が忙しそうに働いている。

ときどき徳平さんの孫らしい人が厨房に入りこんできてグズグズ言うと、徳平さんの妻らしい人が、

「おかあさん、いま忙しいからあとでね」

と言って孫らしい人を厨房から追い出すのであった。孫らしい人は、不満ではあるがそういう事情なら仕方がないという顔で出ていくのであった。

ざるそば　四五〇円
天ぷらそば　五〇〇円

ざるそばと天ぷらそばの差が五十円しかないところが不思議だ。

天ぷら　四五〇円

というのもあり、このほか「刺し身盛り合わせ」もあるらしいのだが（みんなが食べてる）、これはメニューにない。刺し身盛り合わせは、イカとアワビだ。

この日はなんだか急に混み始めたらしく、

「もう、なんだかパニックよ」

とヨメらしい人は客にこぼし、さっき孫らしい人を追い出したおばあさんらしい人は、さっきからひたすら刺し身用のイカを切っている。その包丁の先がかなり錆《さ》びている。

ぼくのすわったカウンターには伝票が放り出してあって、そこに「天そば②ビール②」などと書いてあるのが見える。伝票は新聞のチラシをハサミで切ったのを紙ばさみではさんだだけのもので、その切り方もかなりギザギザだ。

ふつう名店では、木製ないしは漆塗りのこね鉢を使うのだが、徳平さんらしい人が打っているこね鉢は、家庭によくあるアルマイト製の大きなボウルだ。軽くて動くので左手でフチを押さえて右手だけでこねている。

伝票といい、包丁といい、こね鉢といい、かなり正統から離れた流儀の店のようなのだ。

ボウルで打つ蕎麦は、一回きっちり十人前。

まだまだ時間がかかりそうなのでビールをたのむ。

ビールと共に、刺し身用の皿に盛ったキンピラ牛蒡と大根のナタワリ漬が皿に山盛りくる。山盛りのナタワリがウマい。ナタワリをバリバリ食って飲むビールがウマい。訊けばこれはサービスだという。タダと聞くとよけいウマさが増す。キンピラも太くてウマい。

カウンターの目の前が流しになっていて、ツユのダシをとったダシガラがザルに放置されている。

昆布とカツオ節と煮干しだ。東京の蕎麦屋の名店では煮干しは使わない。

三十分ほどして出てきたざる蕎麦はせいろに山盛り。太め

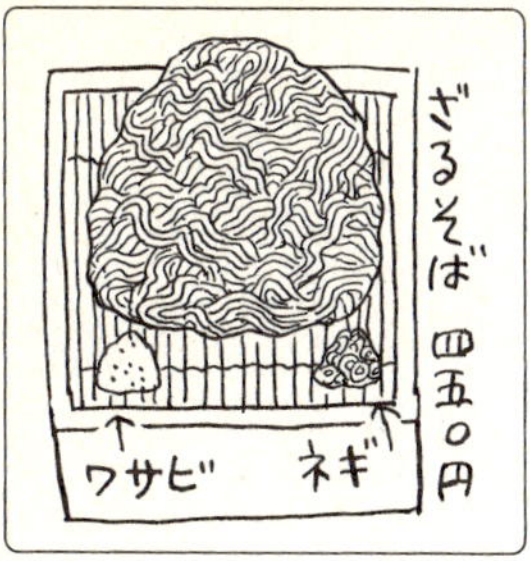

に切ったネギとワサビ。

　こねているときあんなに柔らかそうに見えた蕎麦は、びっくりするほどコシが強く、香りも十分。切り方も整然。伝票の切り方はギザギザだが蕎麦は整然なのだ。

　ツユは煮干しのダシが効いているが実にいい味だ。この蕎麦にはこのツユが合う。

　イギリスのビールはイギリスで飲むとおいしく、バドワイザーはハワイで飲むとおいしい。佐渡という島の海べりの蕎麦屋で、波の音を聞きながら食べる蕎麦は、やはりこのツユでなければならないようだ。

香港食いまくり篇①

時代はいま香港。

とにかく香港。

世界の目は、返還へのカウントダウンが始まった香港に向けられている。

返還直前の香港の物情はどうなっているのか。

人心は安定しているのか。浮足だっているのか。

経済の動向はどうか。物価は安定しているのか。ヤチンはどうか。流通はどうか。株はどうなのか。押し目上がりの三下がりなのか。梅は咲いたが桜はまだかいななのか。

(このへん、なんだかよくわからぬ)

週刊朝日「あれも食いたいこれも食いたい」欄としても、このことに注目しないわけにはいかない。本欄といえども、時にはこうして、世界の動向、歴史のうねりにも、き

ちんと目くばりをしているのだ。

編集長は、ただちに「週刊朝日あれも食いたいこれも食いたい返還直前香港物情特別大調査団」の結成を命じた。

大調査団の構成は、団長一名（ぼく）、団員一名（イケベ大記者）という大がかりな組織となった。

クリスマスイブ直前の十二月二十三日午前十時、大調査団は、ＪＡＬ７３１便の二席を専有して成田空港を飛び立ったのであった。以下は、特別調査団による渾身の特別調査報告である。

午後二時（現地時間）、特別機、じゃなかった普通便は香港空港上空にさしかかり着陸態勢にはいった。

ぼくはおよそ二十五年前、香港に来たことがあるのだが、香港の街並みはそのときと様相が一変していた。

当時は高層ビルは数えるほどしかなかったが、いまは鉛筆のように細くて長いビルが、雨後のタケノコというか、冬の沼地の霜柱というか、ビニールハウスのエノキダケというか、香港の狭い土地に立錐の余地なくニョキニョキと生えそろっているのだ。

そのエノキダケをかき分けるようにして、ＪＡＬ７３１便は降りていく。

香港空港に降りたった大調査団は、ただちに活発で精力的な調査活動を開始するのであった。

三泊四日という短い調査期間の、たとえ一刻といえども無駄にしてはならぬ。

まず空港内の喫茶店に入って行った。

返還直前の香港の喫茶事情を調査するためである。

とはいうものの、その実態は、

「なんだか疲れたし、ノドも渇いたので、とりあえず茶ぁでも飲みましょうか」

というものであった。

ところが調査団は、ここで早くも大きな調査結果を得ることになるのだから世の中はわからない。

TAXI 的士
的士の中からも調査の目が光る

ここで、世にも不思議な、想像を絶する飲み物をメニューの中に発見したのである。その飲み物は「特色鴛鴦」という物々しい名前であった。

その喫茶店の名前もまた「世界之窗餐廳」という読もうとしても読めない物々しいものであった。

「特色鴛鴦」は、名前のわりにあっけないものであったことをここに報告しなければならない。

要するに、コーヒーと紅茶をミックスしたものであった。

ナーンダといえばナーンダだが、われわれ日本人は、日常こんなにも身近にある両者を、一度だって混ぜて飲んでみようと思ったことがあっただろうか。虚を突かれたとは、まさにこのことを言うのではないか。

味としては、そのままコーヒーと紅茶が混ざった味なのだが、コーヒーのほうが、「わたしらこういう場所では争いたくありません」と言って身を引いたという味だ。すなわち紅茶とミルクの味のほうが強い。

このほか、「熱檸楽」という不思議な飲み物もあった。これはレモン入りのホットコーラだ。

「世界之窗餐廳」で疲れとノドの渇きを癒した大調査団一行は、的士（タクシー）を拾って宿舎の「ホテル日航香港」に向かった。

的士に乗っても調査団は片時も調査する心を忘れない。

返還直前の香港の世情はどうか、人心は安定しているのか、浮足だっているのか、と、的士の窓から調査の目を光らすのであった。

市場の横の細い路地から、二匹の犬がじゃれあいながら出てくるのが見えた。二匹はじゃれあいつつ遠ざかって行った。

さっそく調査結果を報告書に書きこむ。

調査報告その1

〈返還直前の香港の犬の人心は安定している〉

犬二匹は首輪はしていないものの毛の色つやもよく、表情も明るく、しっぽの振り方にも力があり、特にエサを求めて嗅ぎまわるという行動もみられなかった。

調査報告その2

〈返還直前の香港の経済は安定している〉

この二匹に対する人々の反応も穏やかだった。「この野良犬め」というような対応も見られないし、「あっち行け、シッシッ」というような行動を取る人もなく、棒を持って追いかけて行って捕まえて食べようという人もいない。

調査報告その3

〈人心は安定し治安は良好である〉

調査活動は極めて順調にはかどっていた。的士に乗って外をちょっと見ただけだが、すでに膨大な調査結果を得ることができた。

犬が二匹走って行っただけではないか、と人は言うかもしれないが、調査というものは洞察力の問題でもあるのだ。

調査団一行はホテルに着くと、とりあえずシャワーを浴びた。シャワーを浴びてひと休みして、それから夜の屋台へくり出そうというのだ。

香港食いまくり篇②

〝夜の香港屋台街大調査〟を前にして、とにかくホテルでシャワー。

旅行中はとにかくスケジュールに切れ目がない。区切りなく、次から次へとスケジュールをこなしていかなくてはならない。その区切りをつけてくれるのがシャワーだ。

シャワーは旅行の句読点。

「ホテル日航香港」はバスルームがよかった。ガイドブックにも、ここはバスルームが素晴らしいと書いてある。

まずバスルーム全体が広い。八畳ぐらいある。そして、ここが大切なところなのだが、バスルーム全体が総大理石なのだ。総大理石のバスルームを、おねだり妻はおねだりして手に入れたらしいが、ここに泊まる客は、おねだりなしで入れるのだ。

シャワールームが別になっているのもいい。ふつうのホテルは、シャワーが浴槽といっしょになっていて、カーテンを引いて頭を洗っているとなんだか息苦しい。なんだか悲しくさえなってくる。

シャワールームが別だとそれだけで洗髪が楽しい。思わず口笛が出る。

飛行機の疲れをとって全身さっぱり、石鹼の匂いに包まれて猥雑な夜の屋台街にくりだして行った。

イケベ大記者も石鹼の匂いがしてなんだかなまめかしい。

香港の屋台には二種類ある。

固定式小屋造りで、一応厨房《ちゆうぼう》がついていて、店内に一応イスとテーブルがあって、店の外にも一応イスとテーブルが置いてあるという形式のほうを大牌檔《たいぱんとん》という。オープンエアレストランという言い方もできるし、青空食堂と言うこともできるし、半路上飯屋ということもできる。

もう一つは、日本のお祭りのときに出るワタアメやヤキソバなどの屋台と同じもので、これを小販《しうはん》という。

大牌檔のほうは、先述の小屋造りスタイルと、巨大テント内に何十軒と屋台がひしめいている〝屋根のみ共用屋台〟の二つがある。

夕暮れの屋台街は、日本の祭りの夜のように、さて何を食べようかという大勢の人がそぞろ歩いている。

ここから屋台街、という入口に、いきなり蛇屋があった。
店の前に大きな金網のカゴが三つ重ねてあって、その中に直径四センチぐらいの大蛇が、一カゴにつき五十四匹ぐらいからみあっている。蛇というものは一匹一匹がまっすぐでなく、おまけにからみあっているので非常に数えづらいものであるが、イケベ大記者と協力して目勘定で数えあげた。
屋台ではあるが、店舗の上に香港特有の〝道路まで大きくはみ出し横長スタイルの大看板〟が出ていて「行蛇善王蛇」と書いてある。

「どういう意味でしょう」

「蛇が行くが、うちの蛇はとても善い蛇で王様のような立派な蛇である」

「蛇が行くって、どこに行くんですか」

「もちろん当店に行くんです」

　イケベ大記者の解説はいちいち納得がいく。

　店舗の前にコンロつきのワゴンがあって、ワゴンの大鍋でなにやらググツ煮ている。ワゴンの前面に「五蛇羹」26元と書いてある。

「何て読むんでしょうね」

「五種類の蛇がゴジャゴジャ入っている羹だから、ゴジャカンでいいんじゃないですか」

　イケベ大記者の解説はいちいち納得がいく。

　小さなテーブルが二つある薄暗い店内には、「七蛇酒」とか「生猛・梧州蛤蚧」とか「燉・過山鳥」とか、何だか恐ろしい貼り紙がいっぱい貼ってある。「生猛」と「燉」が、特に「燉」が、何だかわからないが何だか恐ろしい。

　この店はとてもはやっていて、たえまなく客が出入りしている。テイクアウトもやっているから、ワゴンの前に立っている、わりに小ぎれいな四十歳ぐらいのオバサンは忙しい。

「外賣同價」で、ナベを持って買いにきた客に、オバサンはおたま一杯のゴジャカンをジャボリとあけてやる。

わりにネバリのあるツユのようだ。

このゴジャカンはどういう効能があるのかというと、「身體虛弱」「夜尿頻密」「滋陰補腎」「喘咳痰多」「淡汗糖尿」に効くと書いてある。

ぼくが、ためつすがめつ、店内をのぞいたり、表の貼り紙を読んだりしているので、イケベ大記者は不安になったらしく、

「まさか、ここに入るんじゃないでしょうね」

と、たじろいでいる。

「それに、香港へ来て、いきなり蛇というのは……」

「いけませんか」

「なんか、もっと弱めのもので少しずつ体を慣らしていって……」

イケベ大記者の忠告にもかかわらず、ぼくはツカツカと店内に入って行った。

「五蛇羮」を指で示すと、オバサンは、チャーハンについてくるスープの容器ぐらいの大きさの茶わんになみなみとあふれんばかりに注いでくれた。

これで四百円だ。

スープにはトロミがついていて、蛇の肉のほかにキクラゲとしいたけの細切りが入っている。

スープの味は塩味で、やや漢方風の匂いがある。

蛇の肉は細切りで意外にたくさん入っている。

肉そのものには味もなく、くさみもない。細切りの肉は繊維質の歯ざわりで、筋肉質風の歯ごたえもある。

ウマいか、と訊かれれば、苦笑いしたのち、またうつむいて黙ってスープをすすり続ける、という味だ。

このあとわが調査団は、この屋台街で九種類の屋台食を食べ歩いたのである。乞う御期待。

香港食いまくり篇③

香港についたその夜、いきなり屋台で五蛇羮を食べた大調査団はたちまち元気になった。

なにしろ五蛇羮は、五種類の蛇を煮たものだ。その効能書にあるように、たちまち身体壮健、胃腸活発、快通快便、交通至便、家内安全、五穀豊穣という、わけのわからない躁状態となって次の店を目ざした。

鶏の足が目についたのでそれを食べた。よく蛇は鶏を丸呑みにしたりするが、蛇の霊がわれわれにのりうつったのだろうか。

小販のほうの店で、鶏の足と焼き鳥とソーセージを並べて売っていたのだ。鶏の足は、ちゃんと爪のついた立派なもので、蒸したか茹でたかしてあるようだ。店番の十六歳ぐらいの女の子が、「このゴマだれをつけて食べろ」と手まねで教えてくれる。ゴマだれ

をつけると溶きガラシをペタリとつけてくれる。

しかし、この鶏の足は失敗だった。

なにしろ食べるところがない。足の裏のプヨプヨしたところをかじって引き離すのだが、味わうほどの量がない。胃腸活発、快通快便となっている体にはまことに物足りない。

「真好味小食店」という大牌檔の店に人だかりがしている。見ると店頭で、シュウマイやギョウザや大根餅などを焼きながら売っている。シュウマイは四個を一串に刺して売っていて「毎串五元」（約七十五円）だ。

大調査団は一串だけ購入し二個ずついただいた。皮も具も日本のシュウマイとほとんど同じだ。ギョウザは三個で百三十五円。

中国のギョウザは、水ギョウザと蒸しギョウザがほとんどで、焼いたのは少ないと聞いていたが、屋台の「真好味小食店」のギョウザは焼きギョウザだ。具もニラと挽き肉で、焼きたてだから熱くてウマい。あんまりウマいので団長は二個いただいた。

大根餅もいただいた。これも日本のものと同じで、小エビがところどころ混じっている。

「まだまだいただけそうですね」

「どんどんいただきましょう」

胃腸活発、快通快便となっている二人は、当たるをさいわいいただいていく。

急に表通りに出た。いきなり、金ピカ、赤ピカ、電飾ピカピカの、お神輿《みこし》のような店舗の前に出た。「百寶堂」という看板が出ていて、店の前に巨大ピカピカの銅の壺があって、そこから湯気があがっている。

「おっ、これは何だ！」

と、団長が思わず叫ぶと、

「おお、これが世に名高い香港名物『亀ゼリー』の店であります」

とイケベ団員が叫ぶ。

亀ゼリーというのは、亀からつくったゼリーで、香港の人は体が疲れたときなどにこれを食べてひと息つくことになっているのだという。イケベ大記者は、香港に行ったらどんなものか、ぜひ食べてきてくれと言われて来たそうだ。

喫茶店風の造りになっていて、テーブルにすわって亀ゼリーを食べる。コーヒーカップ状のものに、コーヒーゼリーそっくりのものが入っている。

店先の巨大ピカピカ壺に、ビッシリとカップごと入れて常時蒸しあげているのだ。

とにもかくにも一口。

「ウーム、苦い。ものすごく苦い」

「苦い上に、あのホラ、昔の実母散とか中将湯とかの、漢方煎じ薬系の匂いがきつい」

帰ってきてから調査したところによると、このゼリーは、亀の甲羅の内側の部分を煮つめ、それに各種漢方薬を配合したもののようであった。

そして、これがまたまずいことに、「常服有益」かつ「永保健康」で、またしても、「腸胃快適」「身体補強」「湿疹快癒」のたぐいのものだったのである。

当調査団は、すでに蛇関係によって、十分にそっちのほうは補強済みなのだ。なのに、はからずも、こうして今度は亀関係によって、再補強、再増強を余儀なくされてしまったのだ。

われわれの体は、蛇と亀にのっとられてしまうのだろうか。

「三すくみというのは何でしたっけ」

「たしか、蛇と蛙とナメクジじゃないですか」

「蛇と亀は、すくみ関係というより、むしろ協力関係かもしれません」

「やはり、のっとられるのでしょうか」

このあと調査団は、何ものかに憑《つ》かれたように、チャーハンとワンタン麺と鴨のクンセイ（？）と撈麺《ろうめん》をいただき、サトウキビジュースを飲んだのである。

まず「粉麺専家」という麺類専門の店に行って、ワンタン麺と撈麺を食べた。

ワンタン麺のワンタンは直径四センチほどのまん丸でかなり大きく、具はほとんどエビのすり身で皮のビラビラの部分がきわめて少ない。ほとんど〝肉ボール〟といった印象だ。

スープは日本のラーメンのスープとまるで違い、塩味系で白っぽい色をしている。スープに醤油の面影がまるでない。麺はかなり細めでコシはなく、どちらかというとビーフン系の麺だ。値段は二百円。

撈麺というのはスープのない盛りそば風の麺のことで、ぼくが食べたのは〝炒め挽き肉のせ〟だった。

この夜、あちこちの店をいただき歩いて大発見をした。それは〝香港の人はお酒をのまない〟ということである。屋台でも、ちゃんとした店でも、客のテーブルにビールビンが立っているのを見たことがない。

十卓に一本、という程度なのだ。あちこちでその理由を訊いたが、「香港の人は酒の上での失敗に厳しいから」という程度の答えしかかえってこない。なんとも不思議でならない。

香港食いまくり篇④

香港へ行ったら、ぜひ飲茶《ヤムチャ》の店に行ってみようと思っていた。

ぼくはこれまで、一度も飲茶を経験したことがない。

テレビの番組などで、ときどき飲茶の店が紹介されるが、なんだかとても楽しそうだ。

テーブルにすわっていると、シュウマイやギョウザや春巻きなどを満載したワゴンが、湯気をあげながら次から次へやってくる。

新幹線を利用したときなども、食べ物や飲み物を満載したワゴンがやってくるが、あれは一台きりだ。一台でも十分楽しい。缶ビールを二本。イカのくんせいを一袋。エート、それから柿ピー。袋に入ったチクワもウマそうだ、なんて、一台だけでも十分楽しめる。なのに飲茶の店は、こういうワゴンが次から次へ、行列をなしてやってくるのだ。

そして客のまわりをグルグル、グルグル回っているのだ。

言ってみれば〝人力による回転寿司〟ということもできる。あるいは〝逆バイキング〟ということもできる。

バイキング料理は、食べ物のテーブルの周りを客がグルグル回るが、飲茶は客は動かず、食べ物のほうがグルグル回る。

「温莎皇宮大酒楼」という店へ行った。なんだかよくわからないが「皇宮」の文字に惹かれて行った。

実を言うと、香港ではワゴン式の飲茶はすたれつつあるそうだ。ワゴンではなく、客が伝票に注文の品を書いて提出する伝票式の店のほうが優勢だそうだ。

行ってみてその理由がわかったのだが、そのことはおいおい判明する。

「温莎皇宮大酒樓」は予想を超えた立派な店だった。日本の一流ホテルの結婚披露宴会場の大ホールを想像していただけばいい。

フカフカの絨緞《じゅうたん》、天井にはシャンデリア、香港独得の赤を基調にした大胆なインテリア……。という上流社会造りの中に、セーター、サンダル、ジャンパーのオッチャン、オバチャン、ガキという庶民造りの人々が、ざっと数えて三百人余、ガヤガヤ、ワヤワヤ、その喧噪は想像を絶する。

結婚披露宴に招待された三百人が、司会なしで、三百人いっせいに勝手に口々に演説していると思えばいい。

これが午前十一時の出来事なのだ。

香港人の飲茶好きが、この一軒だけでよーくわかる。

イケベ大記者と、香港での知り合いと三人でテーブルに案内される。

テーブルはまっ白なテーブルクロス、客交代ごとにお取り替えの上流システムだ。

まず何を飲むかを訊かれる。

烏龍《ウーロン》茶か、普洱《ポウレイ》茶か、茉莉花《ジャスミン》茶か、紅茶か。ビールのビの字も言わない。

あとで〝大披露宴会場〟をくまなく調査して歩いたが、ビールを飲んでいるテーブルはただの一卓もなかった。

メニューにビールがなかったということも考えられる。

われわれは仕方なく普洱茶を注文した。香港人が一番よく飲むお茶だという。

あとはワゴンの巡回を待つだけだ。

このシステムは、やって来たワゴンの食べ物を指さして「これ」と言うだけだからまことに快適、まことに観光客向き、まことに順調と思うにちがいない。

ところがどっこい、そうはイカちゃんスルメちゃん。そうはいかずの後家の腰巻き。

目的の食べ物のワゴンがなかなかやってこないのだ。

われわれは「まずシュウマイからいこう」ということになったのだが、シュウマイが待てど暮らせどやってこない。「南乳炆豬手」とか「柱侯金銭肚」「北菇棉花雞」とか「羅漢齋粉包」とか、わけのわからないものばかりやってくるのだ。ワゴンの前面に、そういう積載食品のプレートが下げてある。

中には「陳皮蒸鴨脷」などという大体予想のつくものもある。

しかし「帯子腸粉」を、多分内臓料理だろうと思って注文すると、腸粉は形を表していて米の料理だったりする。

シュウマイが来ないので「魚香釀茄子」を、多分ナスであろうと注文したら、はたしてナスであった。魚のすり身をナスにはさんで揚げたもののようでなかなかの美味。せいろの中には大きなはさみ揚げが三個も入っていてかなり腹の足しになる。値段は大体三百円から五百円で、けっこう高いじゃないか、と思わせるが、こうして三人で食べることを考えればとても安い。

ワゴンの上の食べ物の入ったセイロにはフタがしてある。

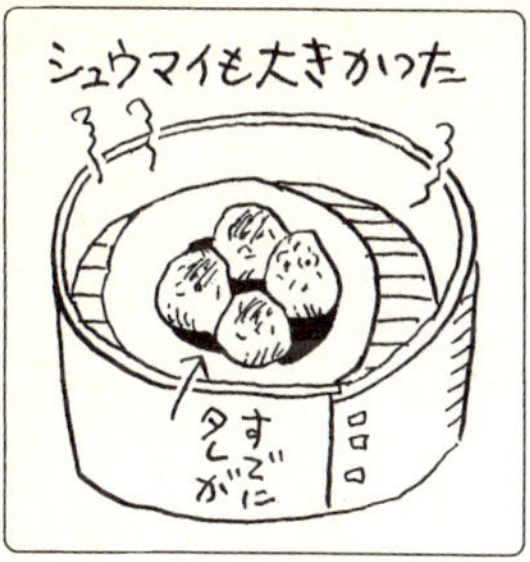
シュウマイも大きかった
すでにタレが
ロロロ

われわれはワゴンを一台ずつ止め、三、四種類載っているセイロのフタを一つずつ開けさせ、中身を点検し、目的のものがない場合は「通ってよし」というふうに通過を促す。なんだか２４６号線で交通違反取り締まりの検問をやっているみたいだ。

五種類も載せているワゴンのすべてのフタを開けさせたときは、さすがに気がとがめて、不本意ながらそのうちの一品を受けとることにした。湯葉のようなもので、挽き肉のようなものを包んで蒸したようなもので、これは「南乳炆豬手」か「杜侯金銭肚」か「葡汁鮮竹巻」か「北菇棉花雞」か「蒸醸牛肉球」のいずれかなのだが、そのどれに該当するのかはわからない。

いま自分は何を食べてんだかわからない、というのはまことに切ないものがある。

そのあと、ようやくシュウマイがやってき、ギョウザもやってきたのだが、いずれもいつも食べているシュウマイとギョウザではなく、一応おなかは一杯になったのだが、何か釈然としないものが残った。

ビールが飲めなかったのが、釈然としない理由の最大のものであった。

香港食いまくり篇⑤

お待たせしました。いよいよ天下の「福臨門海鮮酒家」です。

え？　誰も待っていなかったって？　それは弱った。

「福臨門海鮮酒家《ふっらむむんほいしんちゃうかー》といえば、香港で一番値段の高い超高級店とちゃうかー」

と、大いに驚いてもらわないと困るんちゃうかー。

「福臨門海鮮酒家」は、香港はおろか、世界の食通の間で知らぬ者はいないという広東料理の老舗中の老舗なのだ。香港の中華料理界の有名店のシェフの多くが、この「福臨門」の出身だという。とにかくもう、どえりゃー高級で、どえりゃー値段の高い店なんだわ。今回の香港視察旅行に出発する前に、

「ぜひ『福臨門』での食事をスケジュールに加えて欲しい」

と、おねだりしたところ、イケベ大記者の顔が曇った。次に編集長の顔が曇った。そ

れから経理課長の動悸が激しくなり、経理担当重役が寝こんだという噂を聞いた。（ような気がする）

中華料理はたった二人ではたくさん食べられないので、朝日新聞の香港支局関係の人二人に応援を頼んで乗り込んで行った。店内の造りはそれほど豪華というわけではなく、ごくありふれた高級中華料理店という感じだ。社用族が多いらしく、ヘネシーXOやロイヤルサルートなどの超高級洋酒ばかりが並んだボトルキープのコーナーがあって、ややバブルっぽい雰囲気もないではない。店内はかなり広く見渡しただけでも二百人は収容できそうだ。

一同テーブルに着席。一同に大きなメニューが手渡される。

と、と、とにかくメニューを見てみよう。

フカヒレスープ一人前四百九十HK（香港ドル）、すなわち七千三百五十円、ナナセンサンビャクゴジューエーン、エーン。（あとのエーンは泣いてる声）

アワビオイスターソース煮、一人前千百HK、すなわち一万六千五百円、イチマンロクセンゴヒャクエーン、エーン、エーン。

メニューを見つめるイケベ大記者の手がふるえている。（ように見えた）

眉がたちまち八の字になり、八の字の上部のスキマが刻々と狭くなっていく。（ように見えた）

ツバメの巣のキヌガサ茸巻き、一人前二百四十HK、すなわち三千六百円。

「この三つは、せっかく一生に一度『福臨門』に来たんだから、ぜひ食べたいなあ」

というぼくの提案に、イケベ大記者は、ガクガクと首をタテに振った。

「それからあのう、ぼくナマコが好きなので、できたらナマコも」

それには答えず、イケベ大記者は黒服のウェイターに、アワビは一人いくつずつつくのか、と訊き、一個ずつだ、という答えに、一人半分ずつでもいいか、とたずね、いい、と言われて莞爾《かんじ》と微笑み、ナマコ（千五百円）も追加されることになった。

ツバメの巣とキヌガサ茸
おロの中にジュワーと

テーブルは白いテーブルクロスだけで、中央の回転盤はない。

フカヒレスープ来る。

大きめの中華皿にヒタヒタ一杯。レンゲですくって十杯というところか。

全体がアメ色で、その中央に白くて長いモヤシが十四本。ヒレはカドのある太めタイプではなく、しっとりと細い春雨タイプ。中央を箸で持ちあげると突っぱる力はなく、両端がたれ下がるが、口に入れると見た目よりしっかりとしたトロトロではない歯ごたえがある。

スープの味は濃厚というよりサラリとした感じかな、と思うまもなくジワジワと、何か一つこれだという味ではない中華系の様々なダシの味が口の中に広がってくる。スープの表面に膜は張らないが、食べ終わったあと上唇と下唇がはりつく。ウーム。うっとり。

アワビ来る。

来るには来たのだが、これが日本の土鍋そっくりの鍋に入れられて来た。しかもその土鍋が、なんだかこう、こんなこと言っていいのかどうかしらないが、一見わりに安い居酒屋で出す土鍋風なのだ。でもきっと、いずれ名のある超高級鍋にちがいないのだ。

アワビはこれまで食べたことのない味のアワビだった。まずネッチリ、そしてムッチリ。

まるで干しアワビを一度粉末にして、何か強力な練り粉で練って練り物にしたような食感。練り物だからその隅々にまで中華独得のスープの味がしみこんでいて、それでいて魚介の干物の味を失わず、元の生のアワビの味を失っていない。

ツバメ来る。

なんだかもう、どんどん来るのだ。どんどん早く食って、どんどん早く金払え、と言ってるわけでは決してない。

おいしいものをどんどん早く食べて欲しいのだ。紹興酒をたのむと一番高い一万円のをまず持ってくる。もちろん一番おいしいのを飲んで欲しいからだ。

ツバメはどえりゃーウマかった。

ピラピラと細いツバメの巣の細片を円筒状のキヌガサ茸に詰めこんである。おでんのゴボウ巻きの、ゴボウがツバメの巣で、まわりのサツマ揚げがキヌガサ茸だと思えばよい。

（例えが貧しかったかな）

ツバメの巣もキヌガサ茸も、もともと味のないものだが、スポンジ状のキヌガサ茸はじっとりとスープを吸いこんでいて、嚙みしめるとそれがじわじわと口の中ににじみ出てくる。キヌガサ茸がショリショリ、ツバメの巣がチュルチュル。飲みこんでツルリ、トロリ、口中忙あり。

ナマコ来る。

身長約十センチ、直径約二センチの全身のトゲが一本も欠けてないという、相当の配慮で料理されたナマコだ。先に食べた三種類のスープの中では一番甘味が強く、味も濃い。スープをまとったナマコは、ニョロリ、ツルリとノドにすべり落ち、大満足の夜は更けていった。

香港食いまくり篇⑥

香港の街を歩き回っていて、やたらにあちこちで目についたのが回転寿司だ。「人気寿司」「元禄寿司」「元気寿司」「助六寿司」……。

外見は日本の回転寿司とまったく変わらない。なかでも「元気寿司」はチェーン店らしくあちこちで見かけた。

夕方など、店の前に長い行列ができている店もある。

「フーン。香港にも回転寿司があるんだ。そうなんだ。フーン」

と、ふつうならばそう思うだけで済ますところなのだろうが、ぼくの場合は思うだけでは済まない。

漫画家の血が騒ぐ。

香港の回転寿司とはそもそもどんなものなのか。

どんなネタの寿司が回転してくるのか。もともと中国の人はナマモノを食べない食習慣ではなかったのか。

聞くところによると、昨年の夏ごろから香港では和食が急にはやりだしたという。

その和食ブームの中の一つが回転寿司なのだ。

もともと中国の人はナマの魚は食べないし、レタスやキュウリまで火を通して食べてきた。だから、いまの和食ブームを支えているのは中年以下の層なのだという。

「なにも香港まで来て回転寿司を食べなくてもいいのに」

と尻込みするイケベ大記者をなだめて、人気の「元気寿司」に出かけて行った。

夕方の六時。「元気寿司」の前にはロープが張られ、ロープに沿っておよそ三十人ほどの行列ができている。

なるほど、そのほとんど全員が十代から二十代の若い人ばかりだ。

五十代とおぼしきおじさんとおばさんは、二十代の家族を連れてきた親らしい。そういう人々で回転寿司の人気は支えられているようだ。

店先のショウケースの上には、日本の清酒「白雪」の大きなコモかぶりの樽がディスプレイされている。

三十人の行列はなかなか消化されない。

ぼくらの前のカップル（十代）がハゲシクいちゃつく。お互いに顔を手ではさみ合って頬をこすり合わせたりしている。非常に不愉快であった。

三十分待ってようやく入場。

内部の造りは日本の回転寿司とまったく同じだった。

透明なケースをかぶせられた寿司の皿が行列して流れてくる。

お茶も日本風大型湯呑みにパックの日本茶が入っていて、カウンターの前のとって（？）に押しつけると熱湯が出る仕組みになっている。

ガリは大きなお鉢のようなものに大量に入っている。練りワサビの入った容器がカウ

ンターに置いてあるのが不思議といえば不思議だ。

ネタはどうか。

これまた日本のネタとほとんど同じだった。マグロ、イカ、エビ、赤貝、アナゴ、ウニ、納豆(軍艦巻)まである。

甘エビ、コハダ、稲荷寿司もある。

中でも人気はサーモン(三文魚)で、客の大半がまずサーモンから食べ始めている。これは、他のネタが一皿二個なのに、サーモンだけ三個のせいもあるようだ。

最多価格帯は百八十円で、甘エビ、北寄《ほっき》貝、ホタテなどが二百四十円。一番高いのがウニ、イクラの六百円という三段階になっている。

香港の人々は寿司をどういうふうに食べているのか。

カウンターにすわると、まずワサビの容器を開け、そこに刺してあるバターナイフでザクリと取って小皿にあける。バターナイフだからたっぷり取れる。そこへお醤油をたっぷりそそいでよくかき混ぜる。

小皿の底に、五ミリほどの厚さのワサビと醤油の層ができる。これで準備完了。流れてくる小皿を取る。

取ったらまずネタをはがす。

そしてシャリの上に醤油混じりのワサビをたっぷり塗ってネタでフタをする。つまり、流れてくる寿司にはワサビが塗ってないのだ。

ここのところが日本の寿司事情と違うところだ。

店に入って行ったときに、「ラジャイマセー」と言うところも日本と違うところだ。

ぼくは最初、寿司にワサビが塗ってないことを知らずに醤油をつけてパクリと食べ、一口噛んでそのことに気づき、あとから急いでワサビだけ口の中に放り込み、〝ワサビあと追い方式〃で寿司を食べた。

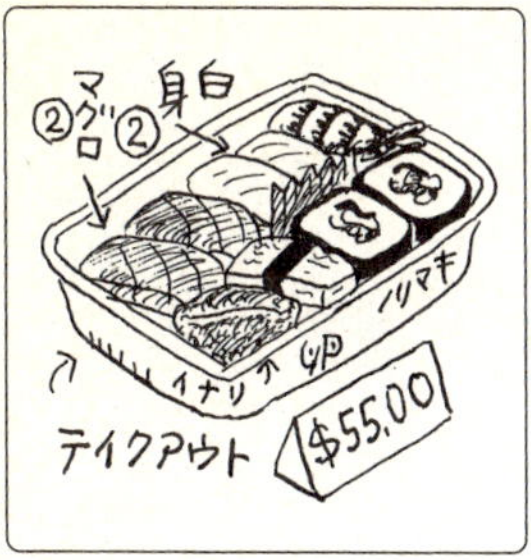

こういう食べ方は、あとにも先にも生涯でこれ一回きりのことにちがいない。
マグロもイカもハマチも、日本の回転寿司の質とほとんど変わらない。
アナゴもそれなりにきちんとした味だし、稲荷寿司も日本のコンビニで売っているのとまったく同じだ。
納豆も同じだったが、やはりこれは売れ筋ではないらしく、食べている人は一人も見かけなかった。

鉄火巻、タクアン巻、干ぴょう巻もあって、これは一皿に六個のってきて二百四十円。味噌汁は百六十円。

日本の回転寿司は、何人か連れだって行ってもなぜかひっそりと食べるが、香港の回転寿司は喧噪を極める。

店先でいちゃついていたカップルなどは、肩を組み合って鼻歌まじりで食べている。まことに不愉快であった。

この「元気寿司」のチェーン店は、香港市内ばかりでなく、シンガポール、マレーシア、USA、そしてJAPANにもあるとパンフレットに書いてある。

香港の回転寿司の海外支店が日本にもある、ということは、エートと、なんだか頭が混乱してくる。

解説

中野翠

東海林さだおさんのことを書きたいのだが、まず私自身の話で失礼してしまう。おまえの話なんか聞きたくないわいと思うかたも多いだろうが、だいじょぶ、すぐに済みます。ちゃんと話はつながるように持って行くから。

で、心置きなく自分のことを書くのだが……二〇〇一年は私にとって失意の年であった。十月一日に落語家の古今亭志ん朝さんが亡くなってしまったからだ。身内はともかく、こちらが一方的に知っているだけの有名人の死にあんなにショックを受けたことはない。

私はこの十数年、すっかり落語至上主義者と化していたのだが、古今亭志ん朝さんという現代落語界ではほとんど唯一最強の支柱を失ってしまい、大げさではなく、心の底がパカーッと抜け落ちたかのような気持になった。ガックリ来た。

この先、落語がどういう運命をたどるかわからないが、少なくとも私にとっての落語は終わった、自分が最も愛した芸能の滅びの瞬間に立ち合ってしまった……などと口走ってみたい気持を抑えられない。

けれど、東海林さだおさんの「丸かじり」シリーズを読むと、そんなに簡単に「落語は終わった」なんて言えないな、表現の形は違っていても落語の心はちゃんとしぶとく生き続けて行くんだな、と思える。落語を聴いた時とほぼ同質の喜びを感じることができる。

「丸かじり」シリーズを読むたび、東海林さだおさんの独得のデリカシーにホレボレさせられる。人間のせこい心の動きに関してこれほど繊細で敏感な書き手が他にいるだろうか（いや、いない）。

「丸かじり」シリーズのどこでもいいが、例えば本書の「チャーシューメンの誇り」の章。

「ラーメン屋のカウンターで三人の客がラーメンをすすっている。そこへもう一人の客が入ってくる。『チャーシューメン』客はゆっくりと言い放つ。一瞬、三人の手が止まる。止まりはしたものの、三人は何事もなかったように再びラーメンをすすり始める。チャーシューメンが出来上がり、客の前にトンと置かれる。そのとき、ほとんどいっせいに、三人はチャーシューメンの丼を横目でチラと見る。必ず見る。いつか必ず見る」

以下、ラーメン注文男とチャーシューメン注文男の間に生じる、曰《いわ》く言い難い心理的葛藤（というほどのものではないが）が活写されて行く。

（というほどのものではないが）というのが重要なのだ。気にしなければ全然気にならないような、些細で淡い心の動き。ほとんど無意識下のドラマ。そこの部分に関して東海林さだおさんは抜群の視力を持っている。ひとのチャーシューメンについ視線が走ってしまう人間の性《さが》や業《ごう》や煩悩《ぼんのう》（というほどのものではないが）をけっして見逃さない。そして、それをほほえみとマンガ的な誇張をもって描き出すのだ。

志ん朝さんの「唐茄子屋政談」の一節を思い出さずにはいられない。吉原通いで勘当になった若旦那。心を入れ替え真面目に働かなくてはというので唐茄子《とうなす》（カボチャ）売りになる。道ばたで転んでしまった若旦那に同情した人が、親切にも唐茄子を売りつけてくれる。売りつけられた男は「唐茄子なんてそんな野暮なものは食えねえ」などとさんざん文句を並べていたのだが、いざ買うとなったら、少しでも大きいのをと選んでいるのだ。せこい奴。

せこい奴と思いながら、つい、笑ってしまう。かわいくなってしまう。愛さずにはいられなくなる。

話はちょっと飛ぶようだが、私は東海林さだおマンガの主人公が頬を染める場面が好きだ。「ショージ君」にしても「タンマ君」にしても、けっこう赤面しがちな男だと思う。羞恥心が強いのだ。いや、私に言わせれば、まともな羞恥心の持ち主なのだ。

東海林さだおさんがなぜ、人間のせこい心の動きに関して抜群の視力を持っているかと言ったら、その大もとは羞恥心なんじゃあないだろうか。もしかして違うかもしれないが「羞恥心だ」と決めつけて話をすすめる。

東海林さだお作品（マンガもエッセーも）は長期にわたって、しかも高い水準で人気を保って来た。文春文庫だけでもこれがちょうど五十冊目だという。もはや国民的マンガ家、国民的エッセイストと言っていい。東海林さだおファンが層厚く、この国に存在しているのだ。その事実は、私には何とも頼もしくうれしいことに思える。何だかわからないけれど、「日本はだいじょぶ」「日本人はいい人だ」と思えるのだ。日本人の多くが、まだまだまともな羞恥心を持っているということじゃあないか。ショージ君やタンマ君の赤面のわけをわかるということじゃあないか。それは私に言わせれば「民度が高い」ということなのだ。偉そうな言い方になるけれど。

たとえ田中真紀子支持者のオバハンであっても、「丸かじり」シリーズの愛読者だったら、私は和気あいあいとお話しできるような気がする。たとえ今だにギョーザ靴（甲の部分にギャザーが寄っていて横にチマチマした金具飾りがついている靴）をはいて、グラデーション眼鏡（レンズの上部が茶色のボカシになっている眼鏡）をかけているオヤジでも、「丸かじり」シリーズの愛読者だったら、一メートル以内の至近距離にいてもイヤじゃあないような気がする。「丸かじり」シリーズには、何だかそういう力があるのだ。親和力。

私にとっては、そこのところも落語と同じ。超党派的にというか、いろいろな違いをすっ飛ばして、連帯感や親密感をかき立てられてしまうのだ。

もう一つ、落語と似ているなあと思うのは、反復に耐えるところだ。何度読み直しても面白い。あの章のあの一言、あの一節、あのフレーズをもう一度楽しみたいという気持にさせる。

例えば、「板ワサ大疑惑」の章における「板ワサどまり」「板ワサ上がり」というフレーズ（何気ないが「板ワサいてくれたか」というのも私は好きですね）。「名古屋エビフライ事情」の章における「嚙みでがあるでよ」というフレーズ、および「で」についての考察。「民衆の敵カニクリームコロッケ」の章における「（クリームコロッケは）パセリなんかちょこっと頭にのっけて小首をかしげたりしている」というフレーズ（かわいいじゃないか!?）。「チャーシューメンの誇り」の章における「かんな感」というフレーズ、および「かきわけ感」というフレーズ……。

などと挙げて行ったらキリがない。とにかく各章必ず一つは卓抜なフレーズと出合うことができるのだ。

食べ物の擬人化のおかしさ。当然のごとく、落語の世界にもそういう擬人化テクニックがある。桂文楽の『鰻の幇間《たいこ》』で、たいこもちの一八《いっぱち》が鰻屋の料理や器にケチをつけるところが有名だが、私はここでまた志ん朝さんの『居残り佐平次』の一節を思い出してしまう。品川遊廓で無銭飲食をたくらんだ佐平次が、酒を呑んで寝て、起きてから迎い酒をして、さらにまた酒を頼む。その時の言い草が「迎いにやった酒が、ゆうべの酒と話し込んじゃった」「しようがねえなあ、すぐに帰って来いよーって言ったのに。また迎いをやらなくちゃ」

「丸かじり」シリーズは、話題を食べもの周辺に限定しているけれど、その根本精神は落語だと思う。「丸かじり」シリーズを読むたび、私の心はこの俗世への愛で満たされる。この世の中も捨てたもんじゃない、ばかばかしくおかしいことがたくさんある。普通の人の普通の心のおかしな動き。私自身の恥ずかしい心の動き。食べものと自分との関係。

そうだ、私もじっくり見よう。しっかり考えよう。無意識下の心のドラマをつかまえよう。

と心に誓うのだが……やっぱり根が鈍感なのかな、粗雑なのかな、一日も続かない。すぐに忘れてしまう。で、また「丸かじり」シリーズを読むことになるのだ。

やっぱり東海林さだおさんは、人間という生きものの生態観察のプロですね。ただ一点、「キンピラ族の旗手は誰だ」の章における「そういえばキムタクも顔が小さい」という指摘にだけは納得いかないものを感じたけれど、ね。

（コラムニスト）

〈初出誌〉「週刊朝日」一九九六年六月二十一日号〜一九九七年三月十四日号
（「あれも食いたいこれも食いたい」）
〈単行本〉一九九七年十一月　朝日新聞社刊

文春文庫

親子丼《おやこどん》の丸《まる》かじり

定価はカバーに
表示してあります

2002年4月10日　第1刷

著　者　東海林《しょうじ》さだお

発行者　白川浩司
発行所　株式会社 文藝春秋
東京都千代田区紀尾井町3-23　〒102-8008
TEL 03・3265・1211
文藝春秋ホームページ　http://www.bunshun.co.jp
文春ウェブ文庫　http://www.bunshunplaza.com

印刷・凸版印刷　製本・加藤製本
Printed in Japan
ISBN4-16-717750-1

文春文庫

東海林さだおの本

（ ）内は解説者

タコの丸かじり
東海林さだお
メンチカツとハムカツはどちらが偉いか、おにぎりはナナメ食いに限る、究極のネコ缶を試食する、回転寿司は恐くない、激辛カレーに挑戦……抱腹絶倒の食べ物エッセイ。（沢野ひとし）
し-6-25

キャベツの丸かじり
東海林さだお
タンメンはなぜ衰退したか、駅弁の正しい食べ方とは、昆布は日本料理の黒幕だ、サバ好きは肩身がせまい、カップ麺の言い訳……身近な食べ物を何でもかんでも丸かじり。（阿川佐和子）
し-6-26

食後のライスは大盛りで
東海林さだお
笑いはやはり幸せな日常生活の中にあるんですよ。激動の世界に疲れてしまった大衆諸君に安らぎを与える唯一の書。どこから読んでも面白い、ショージ君の痛快エッセイ集。（江口寿史）
し-6-27

トンカツの丸かじり
東海林さだお
初体験の「ちゃんこ鍋」、宅配ピザを征服する、味つけ海苔の陰謀をあばく、ビン詰めはかわいい、大絶讃〝イモのツル〟、夏野菜を叱る……食べ物はこんなに奥が深いのです。（ナンシー関）
し-6-28

タンマ君
③激辛篇④純愛篇⑤妄烈篇⑥清貧篇
東海林さだお
週刊文春連載人気漫画の八五年から十年分を四冊に収録。バブルから清貧へ時代は激変しようとも、泰然自若のタンマ流ダンディズム（？）には脱帽。これぞサラリーマンのバイブル！
し-6-29

ワニの丸かじり
東海林さだお
初体験関西うどん、築地魚河岸のわがままな客たち、青春のレバニラいため、アイスキャンディーに人生を学ぶ、ワニの唐揚げに挑戦……食べ物への愛は深まるばかり。（江川紹子）
し-6-33

文春文庫

東海林さだおの本

（ ）内は解説者

ナマズの丸かじり
東海林さだお

ホットドッグの正しい食べ方、いとしい豚肉生姜焼き、懐かしの魚肉ソーセージ、コンニャクの不気味、バッテラ大好き……今回はナマズのフルコースにも挑戦してみました。（高島俊男）

し-6-34

ニッポン清貧旅行
東海林さだお

いま、貧乏は貴重である。体験しようと思ってもなかなかできるものではない。"ひがむ・ねたむ・そねむ"を合言葉に貧乏旅行の道を究めた奥の深ーい一冊。傑作エッセイ15篇。（中島らも）

し-6-35

タクアンの丸かじり
東海林さだお

梅干し一ケで丼一杯のゴハンを食べてみる、サンドイッチに苦言を呈す、肉マンにわが人生を思う、目玉焼の正しい食べ方は？　マナイタの悲劇、タクアン漬けに挑戦。（清水ちなみ）

し-6-36

鯛ヤキの丸かじり
東海林さだお

桜桃応答す、懐かしのアメ玉、都庁近辺昼めし戦争、偉業としてのラーメンライス……ますます快調、「丸かじり」シリーズ第七弾！　食べ物の世界は奥が深いのです。（野村　進）

し-6-37

アイウエオの陰謀
東海林さだお

五十音図の配列は、なぜアイウエオなのか。アオウイエではなぜいけないのか。全麵類東京サミット、電気ポットにおしやられたヤカンの告白などユーモア溢れるエッセイ集。（赤瀬川原平）

し-6-38

伊勢エビの丸かじり
東海林さだお

究極のラーメンの具は何か、お子様ランチ初体験、くさやは孤独な食べ物だ、夏はとろろ、バンコクでタイ料理三昧……ショージ流ユーモア・スパイスが利いた絶品の八冊目。（芦原すなお）

し-6-39

文春文庫

東海林さだおの本

（　）内は解説者

東海林さだお
行くぞ！冷麺探険隊
著者初の全国食べ歩き旅行記集。「盛岡冷麺疑惑査察団」「正しいハワイ団体旅行」「小樽の夜」「うどん王国・讃岐」「博多の夜の食べまくり」「サファリ・イン・アフリカ」。（鹿島　茂）
し-6-40

東海林さだお
駅弁の丸かじり
素直じゃない高級ホテルのかつ丼、引き際がむずかしい回転しゃぶしゃぶ、自宅で駅弁をおいしく食べるコツ、ぼかした注文に潜む夢……ショージ・スタイルの奥義を披露！（近田春夫）
し-6-41

東海林さだお＋椎名誠
シーナとショージの発奮忘食対談
ショージ君とシーナ氏も、はや人生の中締め地点。おでん、ラーメン、魚介類などに鋭い視線を注ぎつつ、胃袋や欲望の来し方行く末を、それでもシミジミ語り合うのだ。（柴口育子）
し-6-42

東海林さだお
ずいぶんなおねだり
海底温泉のハトヤを実体験、ゲイバーのオバサン客を観察し、ナンシー関氏、江川紹子氏と語り合う。縦横無尽な好奇心で、人間界から昆虫界までを見渡すエッセイ集。（いとうせいこう）
し-6-43

東海林さだお
タンマ君　⑦希望篇
週刊文春連載の九四年から九七年分を収録。オウム、援助交際と騒がしい世の中も悠々と生きるタンマ君。でも寿司屋のおやじは意地悪だし、OLはしたたかで、ハンサムは憎らしいのだ。
し-6-44

東海林さだお
ブタの丸かじり
おせちに潜む派閥問題、風呂場のグルメ本鑑賞、国辱映画の日本食シーン拝見……。ショージ君の飽くなき探求は続き、遂には豚の顔丸一枚を食べてしまいました。（みうらじゅん）
し-6-45

エッセイ

中くらいの妻
'93年版ベスト・エッセイ集
日本エッセイスト・クラブ編

遠い夏の日の思い出「鰻の蒲焼き」、本棚に隠した金を探してくれ――「父の遺書」に秘められていた謎をどう解いたか等々、人生の織りなす哀歓を描いた珠玉のエッセイ六十二篇。

編-11-11

母の写真
'94年版ベスト・エッセイ集
日本エッセイスト・クラブ編

年間ベスト・エッセイのシリーズ十二冊目。書かれるテーマは毎年、似ているようでも、確実にそれぞれの時代を反映している。時の移ろいと変わらぬ人の心を見事に捉えた六十一篇。

編-11-12

お父っつあんの冒険
'95年版ベスト・エッセイ集
日本エッセイスト・クラブ編

宇野千代さん晩年のエッセイ「私と麻雀」、漱石の名作を枕に〝論証〟を試みた「『こころ』の先生は何歳で自殺したのか」など、選び抜かれた六十四篇のベスト・エッセイ集九五年版。

編-11-13

父と母の昔話
'96年版ベスト・エッセイ集
日本エッセイスト・クラブ編

明治・大正の人々を絶妙に描く森繁久彌の表題作ほか、司馬遼太郎「本の話」、田辺聖子「ひやしもち」、林真理子「理系男と文系男」など、著者と読者を共感でつなぐエッセイ六十五篇。

編-11-14

司馬サンの大阪弁
'97年版ベスト・エッセイ集
日本エッセイスト・クラブ編

大作家が相次いで亡くなった九六年。田辺聖子「司馬サンの大阪弁」瀬戸内寂聴「孤離庵のこと」の他、「娘の就職戦争」「ボランティア棋士奮戦記」など、激動の世相を映す六十一篇を収録。

編-11-15

最高の贈り物
'98年版ベスト・エッセイ集
日本エッセイスト・クラブ編

五木寛之「髪を洗う話」、渡辺淳一「いわゆる遊離症について」等人気作家の随筆から、司馬遼太郎の担当だった銀行マンの思い出や、小学生の感動的な作文まで、九七年発表の六十二篇。

編-11-16

文春文庫

エッセイ

（　）内は解説者

とっておきのいい話
ニッポン・ジョーク集
文藝春秋編

日本人はジョークが下手とよく言われるが、そんなことはありません。各界に活躍中の著名人約二百名が、それぞれのとっておきのジョークを披露する。名付けてニッポン・ジョーク集。

編-2-5

酒との出逢い
文藝春秋編

もし酒がこの世になかったら、人生はなんと味けないものよ。開高健、平岩弓枝、星新一、林真理子、大島渚、野坂昭如など著名人九十三人があかす、おかしくてほろ苦い初体験の数々。

編-2-9

もの食う話
文藝春秋編

食べることは性欲とも好奇心とも無縁ではなく、そもそも猥雑で滑稽なもの。〝食〟の快楽と恐怖を描いた傑作を厳選、豪華メニューのアンソロジー。食べすぎにご用心。（堀切直人）

編-2-12

たのしい話いい話1
文藝春秋編

岡部冬彦、常盤新平、山川静夫、石川喬司、矢野誠一ら粋人十人が披露する、古今東西有名無名、様々な人々の佳話逸話。「オール讀物」の人気コラム「ちょっといい話」文庫化第一弾。

編-2-15

たのしい話いい話2
文藝春秋編

吉行淳之介のラーメン談義、チャーチル一世一代のウソ、芥川比呂志の小咄、マッケンローの潔癖性など、各界の著名人の愉快なエピソードを満載。「ちょっといい話」文庫化第二弾。

編-2-16

無名時代の私
文藝春秋編

誰だって、初めから脚光を浴びていたわけではない。夢を追いつつ満たされない日々、何をやろうか模索していた時……有名人69人が自らの苦しく、懐しい助走時代を綴った好エッセイ集！

編-2-17

エッセイ

（　）内は解説者

変るものと変らぬもの

遠藤周作

移りゆく時代、変る世相人情……もっと住みよい、心のかよう世の中になるようにと願いをこめて贈る九十九の感想と提言。時事問題から囲碁・パチンコまで、幅広い話題のエッセイ集。

え-1-11

生き上手　死に上手

遠藤周作

死ぬ時は死ぬがよし……だれもがこんな境地で死を迎えたい。でも死はひたすら恐い。だからこそ死に稽古が必要になる。周作先生が自らの失敗談を交えて贈る人生セミナー。（矢代静一）

え-1-12

心の航海図

遠藤周作

時代の奔流にめまぐるしく揺れる人生の羅針盤。どの星を頼りに、信ずべき航路を見出したらよいのか……。宗教、暴力、マスコミの問題から折々の感懐まで、みずみずしく綴る随想集。

え-1-19

最後の花時計

遠藤周作

病と闘いながらも、遠藤さんは最後まで社会と人間への旺盛な好奇心を持ち続けた。宗教のあり方、医療への提言……。これは遠藤さんが日本人に残した厳しく優しい遺言である。

え-1-23

心のふるさと

遠藤周作

靴磨きのアルバイトをした頃、占い師に「小説家は無理だね」と言われた頃。芥川比呂志、吉行淳之介の思い出……。最晩年の著者が青春と交友、そして文学を回想した珠玉のエッセイ集。

え-1-25

人間通と世間通

〝古典の英知〟は今も輝く

谷沢永一

「人間とは何か」「人間社会のメカニズムとは何か」という二つのテーマに即して、古典中の古典を選びだし、そのエッセンスを凝縮。これ一冊であなたも「人間通」「世間通」になれる。

た-17-4

文春文庫

エッセイ

（　）内は解説者

旅行鞄のなか
吉村昭
綿密な取材ぶりで知られる著者が、それらの旅で掘り起こした意外な史実の数々、出会ったすばらしい人々、そしてその土地のおいしい食物と酒の話など滋味豊かなエッセイ集。
よ-1-24

私の引出し
吉村昭
歴史や自作の裏話、さまざまな人たちとの出会い、心に残る出来事、旅の話から、お酒や食べ物のこと、身近に経験したエピソードなど感動的な話、意外な話、ユーモアたっぷりの話が一杯。
よ-1-30

街のはなし
吉村昭
食事の仕方と結婚生活、茶色を好む女性の共通点、街ですれ違う気になる人、旅先でよい料理屋を見つける秘訣……。温かく、時に厳しく人間を見つめる極上エッセイ79篇。（阿川佐和子）
よ-1-34

涼しい脳味噌
養老孟司
養老氏は有名人が大好き。山本夏彦、黒柳徹子、林真理子……。別にミーハーだからではない。あわよくば脳ミソを貫いたいのだ！　好奇心と警句に満ちた必見の〝社会解剖学〟。（布施英利）
よ-14-1

続・涼しい脳味噌
養老孟司
「身体から見た社会」への関心を軸に語るヒトの世の森羅万象。女・金・戦争・エイズ……、東大「自己」定年に至る時期の思考の跡を示す、驚きと発見に満ちたエッセイ集。（中野翠）
よ-14-2

臨床読書日記
養老孟司
酒に、嬉しい酒、悲しい酒があるように本もまた然り。では、疲れたときに読む本、草の根をかき分けても読みたい本とはどんな本？　つい読んでみたくなる「本の解剖教室」。（長薗安浩）
よ-14-3